MEUSER
ZEUSEREKTEN

MEUSER*EKTEN*

MEUSER ARCHITEKTEN *BAUTEN UND PROJEKTE 1995 – 2010 / BUILDINGS AND PROJECTS 1995 – 2010*
SIGNAGE / EXHIBITIONS

DOM publishers

Die nur ganz langsam gehen,
aber immer den rechten Weg verfolgen,
können viel weiter kommen als die,
welche laufen und auf Abwege geraten.

*Those who walk slowly but keep to the right path
can get much farther than those
who run and lose their way.*

René Descartes

—

Auch aus Steinen,
die einem in den Weg gelegt werden,
kann man Schönes bauen.

*If people put stones in your path,
pick them up and build a thing of beauty.*

Johann Wolfgang von Goethe

—

Der Weg des Geistes ist der Umweg.

The way of the mind is the indirect way.

Georg Wilhelm Friedrich Hegel

Signage and Wayfinding	**Architektur und Kommunikationsdesign** *Architecture and Communication Design* Essay	10
	Leitsystem für die Altstadt Naumburg / Saale *Signage in Naumburg* Sachsen-Anhalt	42
	Burgen, Schlösser und Altertümer *Fortresses, Castles and Antiquities* Rheinland-Pfalz	50
	Schlösser, Burgen und Gärten *Castles, Fortresses and Gardens* Sachsen	64
	Schleich GmbH *Schleich GmbH* Schwäbisch Gmünd	76
Exhibitions	**Architektur und Städtebau in Berlin** *Architecture and Urban Design in Berlin* Taschkent	86
	Vom Plan zum Bauwerk *From Masterplan to Architecture* Berlin/Sharjah/Zentralasien	88
	Rückkehr nach Kabul *Return to Kabul* Kabul/München	90
	50 Projekte des Neuen Berlin *50 Projects of the New Berlin* Russische Förderation	92

Berlin im Fluss
Floating Berlin
Moskau/Brüssel/Berlin   94

Vom roten Stern zur blauen Kuppel
From the Red Star to the Blue Dome
Berlin/Stuttgart   96

Lust auf Raum
Desire for Space
Berlin/Stuttgart   98

Stadt und Haus
City and House
Osteuropa/Australien   100

Russia Now. Architektur und Design
Russia Now. Architecture and Design
Itzehoe   102

Deutsche Kulturwochen
German Cultural Weeks
Riad/Maskat/Doha/Abu Dhabi/Dubai   104

Tempelhof: Geschichte der Zukunft
Tempelhof: History of the Future
Berlin   106

Zeitgenössische Architektur in Eurasien
Contemporary Architecture in Eurasia
Astana   108

Annex

Natascha Meuser
Curriculum   114

Philipp Meuser
Curriculum   116

Veröffentlichungen
Publications   118

Projektverzeichnis
Chronology   122

Mitarbeiter seit 1995
Staff   126

Architektur und Kommunikationsdesign
Architecture and Communication Design

Philipp Meuser

Stonehenge in der Nähe von Amesbury/Wiltshire, England, um 3000 v. Chr.

Stonehenge, near Amesbury/Wiltshire, England, c. 3000 BC

Wir alle müssen uns orientieren, uns jeden Tag zurechtfinden – ob mit unserem Leben an und für sich oder innerhalb der Dinge, die uns umgeben. In den eigenen vier Wänden. In unserer gebauten Umwelt. In der Natur. Das haben wir seit Anbeginn mit unseren Mitgeschöpfen gemein. Früher war es sogar lebensnotwendig. Der Jäger und Sammler folgte Tierspuren, Gerüchen, orientierte sich an auffälligen Naturgegebenheiten in der Landschaft, um zu finden und sich nicht zu verirren. Im Zweifelsfall richtete er sich nach dem Sonnenstand, nach dem Motto *ex oriente lux* – aus dem Osten kommt das Licht. Sonne und Mond, später auch die Sterne waren eindeutige Anhaltspunkte, um sich über Zeit und Raum zu vergewissern. Als Medium dienten Sonnenuhren. Sie sind zweifelsfrei eine mindestens seit dem Altertum nachweisbare Frühform, die Naturerscheinung Licht in einer messbaren Größe lesbar zu machen und die Zeit zu bestimmen. Mit den Anfängen der Sesshaftigkeit vor rund 6.000 Jahren vor Christus traten überall in Mitteleuropa sowohl Bauten als auch Siedlungen als Markierungen in die Landschaft. Die Orientierung erfolgte fortan nicht mehr ausschließlich an der Natur. Spuren und Wegzeichen wurden um künstliche Orientierungshilfen ergänzt. Der Mensch begann, seine Sinne durch selbst erdachte Navigationshilfen weiter zu schärfen. An dieser Kontrolle der Umwelt hat sich bis heute kaum etwas geändert. Wenn wir uns in der künstlichen Natur der Städte zurechtzufinden versuchen, bedienen wir uns jener archaischen Navigation. Sei es mithilfe der Sinne, sei es mithilfe baulicher Mittel.

Doch häufig verschweigen uns unsere modernen Gebäude ihre Authentizität. Schlimmstenfalls führen sie uns gar an der Nase herum, weil der Eingang einfach nicht zu finden ist – oder weil es ihren Erbauer drängte, ein Kunstwerk zu schaffen. Von Orientierung kann dann keine Rede mehr sein. Ohnehin sind unsere

Every day, we all have to find our way around and get to where we want to be – in life itself and amongst the objects in our immediate surroundings. Within our own four walls. In the built environment. In the natural world. Since time began, we have had this in common with all our fellow creatures. It even used to be essential to stay alive. The hunters and gatherers followed animal tracks and smells and used conspicuous features of the natural landscape to find their way. There was always the position of the sun to fall back on, on the principle of ex oriente lux – from the East comes light. The sun and moon, and later also the stars, were unmistakable reference points creating certainty about time and space. Time was measured by sundials. There is unequivocal evidence of their existence since antiquity at least, as an early means of making the natural phenomenon of light readable in terms of a measurable value, and thus defining time. Once mankind began to switch to a settled existence about 6000 BC, buildings and settlements began to make their mark in the landscape all over central Europe. Wayfinding was no longer solely dependent on the natural world. Man-made wayfinding aids were added to natural tracks and waymarkers. Mankind began to refine their senses with navigational aids of their own creation. To the present day, hardly anything has changed in this control of the environment. When we try to find our way around in the man-made urban environment, we still use ancient navigational aids. We may use our senses or we may use the built resources.

And yet our modern buildings often conceal their true identity from us. At the very worst, they lead us up the garden path because the entrance is nowhere to be seen – or because the architect insisted on creating a work of art. There is no longer any question of wayfinding here. Moreover, our towns have

Fährte des Grauen Ziesel
(Vorder- und Hinterpfote)

*Tracks of the European ground squirrel
(fore and hind foot)*

Ornamente auf Textilien
in Sibirien, um 1750

*Ornaments on Siberian textiles,
c. 1750*

Städte unübersichtlich geworden. Mit Millionen von Bewohnern, deren Anzahl einst Staaten ausgemacht hatte, sind Städte heute selbst in der Tat Stadtstaaten. Sich darin zurechtzufinden ist so eine Sache. Mit der Bahn ist es noch verhältnismäßig leicht, denn sie bringt ihren Kunden zum Ziel, zumindest bis zum Bahnhof. Der Autofahrer ist auf sich gestellt. Irgendwann begegnen sich Bahnnutzer und Pkw-Fahrer im Dickicht von Schildern, Hinweistafeln, Tram- und Omnibusnummern beziehungsweise im Gewirr von Stadtautobahnen, Zufahrts- und Umgehungsstraßen. Ohne Navigationssysteme – seien es konventionelle Metallschilder oder digitale Satellitensignale – könnte sich der moderne Urbanit wahrscheinlich kaum noch orientieren. Komplexe Informations- und Leitsysteme sind darum eine Sache der Neuzeit.
Ausgerechnet ein Philosoph und Soziologe, der Wiener Otto Neurath, war es, der in den Zwanzigerjahren des 20. Jahrhunderts das erste Bildersystem für den öffentlichen Raum entwickelte: für Straßen, Bahnhöfe, Flughäfen, Hotels, Kaufhäuser und Krankenhäuser sowie für ökonomische und sportliche Großveranstaltungen. Dies geschah einzig aus dem Bedürfnis des Menschen heraus, sich an unbekannten Orten eigenständig zurechtzufinden, ohne jemanden persönlich ansprechen zu müssen.
Wir können hinzufügen: sich auch an bekannten Orten zurechtzufinden. Neuraths Visualisierungssystem ist – wenn auch von

become impossible to take in. With populations equalling those of whole states in the past, today's towns have in fact become city states. It is quite a business to find your way in them. By rail it is still fairly easy, because rail takes its customers to their destination, or at least to a railway station near it. The motorized traveller, however, is left to his own devices. Some time or other, the paths of rail passengers and motorized travellers cross in the thicket of signs, indicator boards, tram and bus numbers, or in the warren of urban motorways, access and ring roads. Without navigation systems – either conventional metal signs or digital satellite signals – it's probable that the modern urbanite would hardly get anywhere at all. Complex information and guidance systems are a symptom of the modern age.
It is telling that it took a philosopher and sociologist, the Viennese Otto Neurath, to develop the first image-based system for public spaces, which he created in the 1920s for streets, railways stations, airports, hotels, department stores, and hospitals, and also for major commercial and sporting events. His motivation was the human need to find your way unaided in unfamiliar locations without permanently having to ask.
To this, we can add finding your way around in familiar locations. Although adapted and refined by subsequent generations, Neurath's visualization system has become an indispensable

Otto Neurath: Arbeiterfiguren,
um 1926

*Otto Neurath: Worker figures,
c. 1926*

Otl Aicher: Piktogramme für die
Olympischen Spiele 1972 in München

*Otl Aicher: Pictographs for the 1972
Olympics in Munich*

nachfolgenden Generationen adaptiert und verfeinert – aus dem heutigen Medienalltag nicht mehr wegzudenken.[1]
Das eine kommt hier zum anderen: Unübersichtlichkeit aufgrund von Überinformation, kommunikative Kälte aufgrund von Verfremdung, sinnliche Abstumpfung aufgrund einer oft falsch verstandenen Hygiene. Selbst beim Einkaufen, der heutigen, zivilisierten Form der Jagd, verlässt uns die Umwelt, weil sich die Speisen, vakuumverpackt und somit geruchsfrei und geschmacksneutral, den menschlichen Sinnen entziehen. Alles ist nur noch schöner Schein. Auch die Architektur, die doch zu Beginn des 20. Jahrhunderts mit dem Anspruch angetreten war, sich wieder funktional und eindeutig im Verhältnis von Form und Bestimmung zu geben. Das Gegenteil ist häufig der Fall. Architektur, einst Wegweiser zu und in den Städten, hat kaum noch etwas vorzuweisen, schlimmstenfalls die Leuchtreklame als Markenzeichen, als Hinweisschild oder Etikett. Dies geschieht, weil »die heutige architektur keine probleme mehr lösen will«, sondern »nur noch erscheinungen erzeugen. vergleichbar mit der programmusik will architektur heute etwas ausdrücken, semantische inhalte vermitteln, das sind alle arten von hinweisen, nur nicht solche, die das bauwerk selbst, seine inhalte, seine entstehung, seine machart betreffen«. So Otl Aicher[2], der als einer der herausragenden und führenden Vertreter des modernen Designs

part of today's media-ridden life.[1] And one thing leads to another – confusion amid abundant information, communication coldness induced by alienation, the dulling of the senses because of frequently misunderstood hygiene standards. Even when we are shopping, today's civilized replacement for hunting, the environment eludes us because food is vacuum-packed, odour-free, and taste-neutral – remote from human senses. It's all just window dressing. This even applies to architecture, which began the twentieth century with the desire to return to functionality and create a clear relationship between form and purpose. The opposite is frequently the case. Architecture, once the direction finder to and within towns, now has hardly anything to show. At worst, it is an illuminated advertisement serving as a trademark, as an indicator sign or label. This occurs because "today's architecture no longer has the will to solve problems". Instead, it "only wants to create appearances. Just like programme music, architecture now wants to express something, to convey semantic content, that is, all types of indications except those that concern the structure itself, its content, its inception, its style". So said Otl Aicher, an outstanding protagonist of modern design who left his unmistakable stamp on the image of leading brands and events in the Federal Republic of Germany from the 1950s onwards.[2] Well-known examples are the logos

Signage 13

Otl Aicher: Bildmarken für die Lufthansa AG, Braun AG und die Stadt Isny/Allgäu

Otl Aicher: Logos for Lufthansa AG, Braun AG, and the city of Isny/Allgäu

das Erscheinungsbild gesellschaftlich führender Marken und Ereignisse der Bundesrepublik Deutschland von den Fünfzigerjahren an maßgeblich prägte. Dazu zählen bekanntermaßen die Logos der Firma Braun und der Lufthansa, aber auch die Piktogramme der Olympischen Spiele in München 1972 oder die Bildmarke der Stadt Isny im Allgäu. Das 1946 gegründete Büro Aicher war eines der ersten, das sich in Deutschland mit visueller Kommunikation im Sinne eines insgesamt stimmigen Erscheinungsbildes, also von Identität, befasste.

Stadt als Wegmarke in der Landschaft

Früher war es hinsichtlich Zuordnung und Wiedererkennung einfacher. Kirche, Rathaus, Marktplatz waren klar ausmachbare Orte, die ihre Bestimmung allein durch Form und Gestaltung eindeutig vermittelten. Von Weitem waren anhand der Stadtkrone sowohl die politischen Hierarchien als auch die wesentlichen Adressen des gesellschaftlichen Lebens ablesbar. Die Kupferstiche und Radierungen von Matthäus Merian dem Älteren und seinem Sohn Merian dem Jüngeren sowie die perspektivischen Kupferstiche von Samuel Graf von Schmettau sind nur einige epochale Beispiele von Stadtansichten, die zwischen dem 16. und 18. Jahrhundert üblich waren und eine für die damaligen

of Braun and Lufthansa, but also the pictograms created for the 1972 Olympics in Munich and the visual brand for the town of Isny im Allgäu. Founded in 1946, the Aicher practice was one of the first in Germany to deal with visual communication in the sense of a totally coherent image, in other words, with identity.

The Town as Landmark

Classification and recognition used to be simpler. Church, town hall, and marketplace were clearly identifiable places and their form and design unambiguously expressed their purposes. The widely visible buildings forming what Bruno Taut called Stadtkrone, or city crown, illuminated the political hierarchies and the most prominent addresses in the town's society. The engravings and etchings of Matthäus Merian the Elder and his son Merian the Younger and the perspective engravings of Samuel, Count von Schmettau are only some of the epoch-making examples of urban views common from the sixteenth to the eighteenth centuries which, for the times, enjoyed wide public acclaim. In his key work "Utopia", published in 1516, the politician and humanist Sir Thomas More wrote of the outward appearance of towns, "He that knows one of their towns knows them all – they are so like one another".[3] This tells us much

Seite 16:
Dom zu Unserer Lieben Frau,
auch: Frauenkirche in München,
Grundsteinlegung 1468

Page 16:
Cathedral of Our Blessed Lady,
Munich, 1468 (begin of construction)

Verhältnisse große Öffentlichkeit hatten. Wenn der Politiker und Humanist Thomas Morus schon 1516 in seinem Hauptwerk *Utopia* über das Gesicht der Städte festzustellen wusste, »wer eine Stadt kennt, kennt sie alle: völlig ähnlich sind sie untereinander«[3], so sagt dies viel über den Wiedererkennungswert damaliger Gemeinwesen aus. Nur das Rathaus und die Kirchtürme, hin und wieder auch eine Burg, eine Festung oder ein Kloster auf den Anhöhen verliehen der Silhouette der Stadt einen Hauch von Individualität. Die Türme der sakralen oder politischen Macht konkurrierten mit den Bauten in anderen Städten oder Herrschaftsgebieten. Was die Stadtkrone besetzte, spiegelte den Charakter des Gemeinwesens, die politischen und ökonomischen Verhältnisse. Burgen etwa erklärten sich von selbst. Ihre Struktur verwies auf die Verteilung der Inhalte: »wo das gesinde, wo der herr wohnt, wo hof gehalten wird, wo man den feind erwartet. welcher stil immer da ablesbar sein mag, die sprache der türme, mauern, zinnen, erker, kamine, fenster und dächer ist aufschlussreicher als das dekor des zeitgeschmacks«[4], stellte Otl Aicher fest. Wie der einzelne Bau artikulierte sich die Stadt als Gemeinwesen in jeder Hinsicht in ihrer Architektur.

Die Größe einer Stadt widerlegt das Wesen der Architektur und deren Wirkung nicht. Im Gegenteil: Die italienischen Städte, aus der antiken Tradition gewachsen und nach diesem Vorbild zu

about the value of recognition and identity inherent in the urban polity of his time. The only touches of individuality visible in a town's outline would be provided by the town hall and the church towers, occasionally a castle, a stronghold, or a monastery on the higher ground. The towers representing the spiritual or temporal powers competed with their counterparts in other towns or sovereign territories. Whatever buildings fulfilled the role of city crown reflected the character of the urban polity, i. e. the political and economic circumstances. Castles were more or less self-explanatory. Their structure indicated what belonged where – "where the servants and the lord lived, where court was held, where the enemy was expected. Whatever style the building was couched in, the language of the towers, walls, battlements, oriels, hearths, windows, and roofs reveals more than the decorative elements of contemporary taste",[4] Otl Aicher noted. Just like an individual building, the town expressed itself in its architecture as a cohesive polity in every respect.

The size of a town does not repudiate the essence of the architecture and its effect. On the contrary – Italian towns, which grew out of an ancient tradition and developed on this model to become urban republics, were more confusing and difficult to grasp than their cousins north of the Alps simply because of the size of their populations. In the mid-fourteenth century, the

Signage 15

Stadtteil Hradschin mit gleichnamiger
Burg in Prag/Tschechien,
gegründet um 1320

Nürnberger Burg mit Kaiserburg
und Burggrafenburg,
erste Bauten um 1200

*The Hradčany district around the
castle of the same name, Prague/
Czech Republic, founded c. 1320*

*Nuremberg Castle with Kaiserburg and
Burggrafenburg, first buildings dating
from c. 1200*

Stadtrepubliken entwickelt, waren schon allein der Population wegen unüberschaubarer als ihre nordalpinen Verwandten. Florenz hatte in der Mitte des 14. Jahrhunderts bereits rund 100.000 Einwohner. Der Stadtarchipel Venedig ist aus zahlreichen Gemeinden – um 1200 waren es rund 60 Siedlungen mit eigenem Marktplatz – zusammengewachsen, wie auch Berlin im ausgehenden 19. Jahrhundert. Siedlungen wie etwa Köln durften sich mit rund 40.000 Einwohnern schon im 14. Jahrhundert neben anderen wenigen namhaften Handelsstädten nördlich der Alpen zu den Großstädten zählen.

Aber auch in diesen großen Siedlungen waren deren gesellschaftliche Gravitationspunkte von Weitem auszumachen. Zumal in Italien, in dessen Städten die mit den Kirchtürmen konkurrierenden Campanile der Stadtpalazzi deutlich die Position der markanten Plätze anzeigten. Sichtbar sind diese ungestörten historischen Skylines selbst in großen mitteleuropäischen Städten wie etwa München (mit der Frauenkirche), Nürnberg (mit der Burg) oder Prag (mit dem Hradschin). Die Architektur war sich selbst ihr eigenes Informations-, Leit- und Orientierungssystem in der Hierarchie der Bauten und deren Verhältnis zueinander. Sie schuf insgesamt eine Textur der Stadt, aus der sich das Wesen und die Inhalte bis heute ablesen lassen. Im Stadtgrundriss haben sich diese Gebäude mit ihren Plätzen unlöschbar, wie auf einer

population of Florence already approximated 100,000. The urban archipelago of Venice had its origins in numerous communities with their own marketplaces (around 60 by the year 1200), just like Berlin at the end of the nineteenth century. Settlements such as Cologne, for example, with its population of approximately 40,000, plus a few other renowned trading towns north of the Alps, could call themselves cities by the fourteenth century. But even in these major settlements, the social centres of gravity were visible from afar. This was all the more apparent in Italy, where the campaniles of urban palazzi vied with the church towers and clearly marked the location of the prominent squares in the towns. These historical skylines are still visible, even in large European cities like Munich with its cathedral, Nuremberg with its castle, or Prague with the Hradčany. Here, architecture itself provides the information, guidance, and way-finding system, because the hierarchy of the buildings and their relationships with each other create an overriding texture, the essence and content of which are still discernible today. These buildings and the squares surrounding them have left their indelible mark on the urban layout, as if burnt onto a hard disk. They are the architectural memory of the city.

Right into the nineteenth-century period of industrialization, it was relatively easy for a stranger to find his bearings within a

Constructions 17

Stadtmauer von Aigues-Mortes,
Ende des 13. Jahrhunderts

*City walls of Aigues-Mortes,
late thirteenth century*

Festplatte, eingebrannt. Sie sind das architektonische Gedächtnis der Stadt.

Sich innerhalb einer Stadt als Fremder zu orientieren, war bis zur Industrialisierung im 19. Jahrhundert relativ leicht. Die Struktur des Stadtkörpers ließ exakt Höhepunkte und Randlagen des Lebens erkennen. Denn der Stadtkörper gab die soziale Ordnung wieder. Im Gegensatz zu heute wohnten die wohlhabenden Familien im Stadtkern – je reicher und angesehener desto näher am Marktplatz. Umgekehrt war es ein Gesetz der Lebensordnung, dass man die ärmlicheren Verhältnisse antraf, je weiter man sich vom Stadtkern wegbewegte. Der Kunsthistoriker Wolfgang Braunfels[5] stellte fest, dass Bauen im Allgemeinen eine politische Ordnung und Architektur im Speziellen ein symbolisches Medium der Macht spiegelte, die bereits aus großer Entfernung in Gestalt von Kirchen, Rat- und Handelshäusern sowie Festungen und Ähnlichem sichtbar waren. Diese Bauten des Gemeinwesens bestimmten die symbolische Aussage des städtischen Gesamtkunstwerks. Das gilt auch für Orte, die keine architektonischen Fingerzeige im Stadtbild aufweisen – wie etwa Aigues-Mortes in der französischen Camargue. Dafür ist die einstige Kreuzfahrerstadt in ihrer unverfälschten quadratischen Gestalt mit turmbewehrter Mauer von Weitem an ihrer schachbrettartigen Figur wie eine steinerne Plattform mitten in der sanften Landschaft

city. Its physical structure made it possible to detect with precision the high points and marginal areas of life, since it reflected the social order. Unlike today, the prosperous families dwelt in the heart of the city – the richer and more respected they were, the closer they were to the marketplace. Conversely, living conditions were the poorer the further away one moved from the city centre. Art historian Wolfgang Braunfels has noted that structures in general reflected a political order and architecture in particular was a symbolic expression of power that was visible from great distances in the shape of churches, town halls, and trading houses as well as strongholds and suchlike.[5] These structures of the urban polity shaped the symbolic statement that the city made as a total work of art. This also applies to places which cannot boast an individual architectural identifying feature in the urban landscape, like the French town of Aigues-Mortes in the Camargue. Even so, the town, once a point of embarkation for crusaders, with its strictly square, chessboard design and walls fortified with towers, is visible from afar as a rocky platform set in a gentle landscape. A compound of urban form and social order and a hierarchical arrangement of streets and squares, the architecture reflects the former power dynamics of a medieval metropolis.

Ortseingangsschild von
Las Vegas/Nevada

*Sign welcoming visitors to
Las Vegas/Nevada*

wahrnehmbar. Die Architektur spiegelt hier mit ihrer Komposition von Stadtform und Sozialordnung sowie ihrer Hierarchie von Straßen und Plätzen die einstigen Machtverhältnisse einer mittelalterlichen Metropole wider.

Architektur als Informationsträger

Die vormoderne Stadt glich in diesem Sinne einer Theaterbühne. Die Silhouette verwies als Kulisse auf das Stück, das aufgeführt wurde. So wie von fern schon die Stadtgestalt eine erste optische Orientierung erlaubte, so war es auch kein Problem, sich in ihren Straßen zurechtzufinden. Wer einkaufen ging, folgte buchstäblich seiner Nase, um den Bäcker, den Fleischer oder den Gewürzhändler zu finden. Holzmarkt, Fischmarkt, Heumarkt: Die Namen der Plätze und frühen Warenhäuser brauchten keine Beschilderung, keine Etiketten, weil die Architektur und ihr reiches Ornament die Bedeutung und Funktion der Häuser quasi nebenbei erklärte. Auch Wege mussten nicht markiert werden. Im Zweifelsfall fragte man die Einheimischen. Alles bis zum Einkauf hin war im Alltag auf die natürlichen Orientierungssinne des Menschen abgestimmt. Daran hat sich, sieht man von den keimfreien Verpackungen in den Supermärkten einmal ab, bis heute nicht viel geändert. »Der Entschluss zum Kauf wird vor

Architecture as an Information Carrier

In this sense, the pre-modern town resembled a theatrical stage. Its silhouette took on the role of scenery against which the play was performed. Just as the distant view of the town gave an initial visual impression of the layout, finding one's bearings among the streets themselves proved to be no problem, either. Shoppers literally followed their noses to find the baker, the butcher, or the spice seller. Wood market, fish market, hay market – the names of the squares and early stores did not need to be posted up on signs or notices because the richly ornamented architecture proclaimed the significance and role of buildings as a sort of incidental effect. Nor did the roads need to be identified by name. If in doubt, one simply asked the locals. Everything leading up to the actual act of purchasing was coordinated with people's natural and everyday senses of direction and wayfinding. Apart from the aseptic packaging characteristic of supermarkets, not much has changed right up to the present day. "Persuasion is mainly through the sight and smell of the real cakes through the doors and windows of the bakery",[6] Robert Venturi said succinctly in his analysis of Las Vegas as the model of modern consumer society.

Richtungsanzeiger in
Astana/Kasachstan

Traffic sign in Astana/Kazakhstan

Richtungsanzeiger in
Neu-Delhi/Indien

Traffic sign in New Delhi/India

Nanpu-Brücke in Shanghai/China, eine
der längsten Schrägseilbrücken der
Welt, eröffnet 1991

*Shanghai's Nanpu Bridge in China, one
of the longest cable-stayed bridges in
the world, opened in 1991*

Seiten 22/23:
Wegweiser am Flughafen
Berlin-Tegel, 1975

*Directional signage at Berlin Tegel
airport, 1975*

allem aber durch Anblick und Geruch des wirklichen Kuchens, durch das Schaufenster und die offene Tür des Bäckerladens bestimmt«, merkte Robert Venturi einmal treffend an, als er die US-amerikanische Stadt Las Vegas als Spiegelbild der modernen Konsumgesellschaft analysierte.⁶

Die Enge und Unmittelbarkeit der mittelalterlichen Stadt erlaubte eine schnelle und persönliche Kommunikation, zumal die Straßen ein Ort des Lebens waren, an dem sich die Passanten orientieren mussten. Die Straße war mehr oder weniger ein erweiterter privater Lebensraum. Das Dasein im eigenen Haus, in der Wohnung verschmolz hier mit dem Treiben der Bürgergemeinschaft. Die Straße war der Raum, in dem man sich traf, um Neuigkeiten auszutauschen, sich zu beraten, auch zu streiten und zu handeln. Aber eine solche Nähe zu den Dingen ist bis auf die Wochenmärkte aus unseren Siedlungen verschwunden. Nichts hat die Städte und deren Selbstverständnis mehr verändert als die Eingriffe in das Adernetz von Stadtwegen, mit denen eine funktionale Neubestimmung einherging. Dass die Straße nicht mehr dem Menschen, sondern seit der Mechanisierung des Stadtverkehrs den Vehikeln gehört, hat unser Verhältnis zur Stadt, unser Wahrnehmungsverhalten und folglich auch die Rolle der Architektur verändert. Seit die motorisierte Mobilität eine Eigendynamik jenseits der natürlichen Bewegungskräfte entfalten konnte, hat sich das Gesicht der Städte bis ins Detail verändert. Dass eine gute Architektur ein grafisches Orientierungssystem ersetzt, ist zweifelsohne auch noch heute richtig. Aber vollständig wird diese These erst, wenn man den Rest mitdenkt. Nonverbale Leitsysteme wurden erst notwendig, als die Städte allein schon aufgrund ihres rasanten Wachstums anonymer wurden, die Gesellschaft sich im motorisierten Rhythmus des Stadtverkehrs gleichfalls anonymisierte und die Architektur sich damit begnügte, diese Kälte auch

The constrictions and immediacy of the medieval town facilitated rapid, personal communication, especially since the streets functioned as a stage which people had to negotiate as they enacted their lives. The street was more or less an extension of each individual's private living space. The street was where life at home, in the private dwelling, blended with the tumultuous life of the community. The street was the space where people met to exchange news, to consult, also argue and trade. But such closeness to things in themselves has disappeared from our urban areas apart from weekly street markets.
Nothing has changed towns and their natural properties more than the disruptions inflicted on the network of urban pathways, effectively reinterpreting their roles and functions. The street no longer belongs to people. Instead, since the mechanization of transport, it has been the home of vehicles, and this of course has altered our relationship with the town, our mode of perception, and consequently the role of architecture as well. Since motorized mobility with its own inherent dynamics now takes us beyond our own motive powers, the face of towns has fundamentally changed. No doubt it still holds true today that good architecture obviates the need for a graphic wayfinding system. But this hypothesis is based on a number of premises. Non-verbal guidance systems only became necessary when the increasing size of towns made them more anonymous. At the same time, the motorization of urban traffic and its rhythms imposed anonymity on society, too, and architecture restricted itself to embodying this coldness. Consequently, wayfinding systems are the product of a society whose members have mutually agreed to keep out of each other's way as far as possible and who, by the way they live, can afford to do so.

Erich Mendelsohn:
Einsteinturm in Potsdam,
1922

Erich Mendelsohn:
Einstein Tower in Potsdam,
1922

abzubilden. Orientierungssysteme sind folglich das Produkt einer Gesellschaft, deren Mitglieder sich darauf verständigt haben, einander möglichst aus dem Wege zu gehen und die sich dies existenziell auch leisten können.

Architektur und Kommunikation

Ein völlig neues Kommunikationsverhalten, eine völlig neuartige Architektur sowie ein verändertes Verhältnis zur Stadt bestimmten den Übergang vom 19. ins 20. Jahrhundert. Die Architektur griff die dynamische Bewegung der Gesellschaft auf und wurde vor allem in den Zwanzigerjahren zum Sinnbild ihrer Umwelt. Zumindest sahen es ihre Schöpfer so, die Vertreter des Neuen Bauens. Eine neue Gesellschaft brauche neue Gehäuse, folglich auch auf deren Bewegungs- und Kommunikationsverhalten zugeschnittene Städte, lautete vielfach das Credo. Nach Jahrzehnten des Historismus, der uns Stadtviertel zwischen Romanik und Barock fast wie Theaterkulissen hinzauberte, während das Maschinenzeitalter inzwischen den Takt des täglichen Lebensrhythmus vorgab, wurden Fassaden, die sich sogar in der Formensprache des Automobils als Indikator des Fortschritts bedienten, Merkmale einer neuen Architektur. Diese signalisierte, dass sie nicht nur funktional im Hier und Jetzt angekommen war, sondern auch ein

Architecture and Communication

The transition from the nineteenth to the twentieth century was marked by a completely new mode of communication, a pioneering type of architecture, and an altered relationship to the town. Architecture adopted the dynamic currents in society and then, particularly in the 1920s, the task of symbolizing its environment. At least, that is how its creators, the exponents of "New Building", saw it. According to a widely held credo, a new society needed new buildings and, consequently, cities tailored to its modes of mobility and communication. After decades of a historicism that had produced urban districts blending the Romanesque with the Baroque to form a quasi-theatrical backdrop to the machine age beating out its daily rhythm, building façades emerged that even mimicked the formal language of the great symbol of progress, the automobile, and so stood out as beacons of a new architecture. Its forms clearly proclaimed that it had not only arrived in the Here and Now in terms of functionality, but was also able to express a new feeling for life which Erich Kästner caught in one simple but pithy sentence, "Time goes by car."[7] And architects went along for the ride. One of them was Erich Mendelsohn, who placed his trademark buildings into the urban landscape of towns that were still dealing

Ernst Otto Oßwald:
Tagblatt-Turm in Stuttgart,
1928

Ernst Otto Osswald:
Tagblatt Tower in Stuttgart,
1928

neues Lebensgefühl zum Ausdruck brachte, das Erich Kästner in den griffigen wie simplen Satz fasste: »Die Zeit fährt Auto.«[7] Und die Architekten fuhren mit. Namentlich Erich Mendelsohn setzte Markenzeichen in das Szenenbild jener Städte, die noch den Maschinenschock der Industriemoderne verarbeiten mussten – schließlich hatten die meisten europäischen Städte bis in die Mitte des 19. Jahrhunderts ihr traditionelles Grundmuster zum Teil völlig unverfälscht bewahrt. Mendelsohn war ein Architekt, der die neuen Techniken der Werbung in seine Bauten integrierte und geradezu Werbemaschinen produzierte. Seine Architektur bediente sich des Lichts, um ihre eigene Wirkung zu unterstreichen – um aufzufallen, um die Funktion eines Gebäudes zu markieren und um es von der Masse abzuheben.

Beispielhaft für die neue Zeit waren jene Kaufhäuser, die im Zuge des Expressionismus erstmals als Ausdruck eines kulturellen Gegenentwurfs entstanden waren, der sich gegen die staatstragende Theaterdekoration aus dem historischen Musterkatalog wandte. Es waren die Konsumkathedralen, mit denen Alfred Messel und zeitgenössische Kollegen die Ära der großen Kaufhausarchitektur einleiteten, die dann mit Mendelsohn und den Architekten des Neuen Bauens fortgesetzt wurde und die ihren Höhepunkt im Berliner Karstadthaus am Hermannplatz (Philipp Schaefer) als dem seinerzeit größten und opulentesten Kaufhaus

with the machine-induced impact of the industrial modern age. After all, most European towns had preserved their traditional layouts more or less completely unaltered until the mid-nineteenth century. Mendelsohn integrated the new advertising techniques into his structures and produced what could be called advertising machines. His architecture exploited light to underscore its own effect, to attract attention, to identify the role of a building, and to make it stand out from the mass. Serving as models for the new era were those department stores that emerged as the first statements of an expressionist countermovement that repudiated the role of architecture as theatrical décor which, ransacking the annals of history, only served the interests of the state. They were the cathedrals to consumption with which Alfred Messel and his fellow architects ushered in the age of large-scale department store architecture, to be continued by Mendelsohn and the New Building architects. The crowning glory was the Berlin Karstadt building on Hermannplatz (Philipp Schaefer), at the time the largest and most opulent department store of the Weimar Republic. These were accompanied by the first modern high-rise buildings in German towns – or at least such twelve-storey buildings as counted at the time as high-rise in central Europe – the Kathreiner high-rise in Berlin and the Tagblatt Tower in Stuttgart.

Silhouette von San Gimignano/Toskana
Skyline of San Gimignano/Tuscany

Silhouette von Frankfurt/Main
Skyline of Frankfurt/Main

der Weimarer Republik hatte. Dazu gesellten sich die ersten modernen Hochhäuser in den deutschen Städten beziehungsweise das, was seinerzeit mit zwölf Etagen in Mitteleuropa als Hochhaus wahrgenommen wurde: das Kathreiner-Hochhaus in Berlin oder der Tagblatt-Turm in Stuttgart.

Nach den riesigen Rathäusern im gotischen oder Renaissancestil wie zum Beispiel in Berlin oder Hamburg wurde Licht zu einer neuen architektonischen Gestaltungsform, Architektur in der Fläche auf sich aufmerksam machen zu lassen – den Alltagsverhältnissen folgend, in denen längst weder die Kirche noch das Stadtbürgertum, ja nicht einmal mehr der Staat, sondern die Ökonomie die erste machtpolitische Instanz darstellte. Der Paradigmenwechsel von der sich selbst erklärenden Stadt des Mittelalters und des Barocks hin zu einer erklärungsbedürftigen – sprich: werbetafelbestückten – Stadt der Moderne war nunmehr unaufhaltsam. »Wir haben in 700-jähriger Geschichte an die Stelle der gotischen Kathedralen endgültig das Bürohochhaus gesetzt und damit einem Wandel des Selbstverständnisses der Gesellschaft sichtbaren Ausdruck gegeben«[8], hielt der Politikwissenschaftler Ulrich Matz einmal treffsicher fest. Die Stadt hat ihren Symbolcharakter dahingehend verändert, dass sie fortan eine pluralistische Gesellschaft abbildet, in der es nicht mehr eindeutige Autoritäten, sondern nur noch miteinander konkurrierende Faktoren gibt.

In the move away from the enormous Gothic or Renaissance-style town halls of the past, for example in Berlin or Hamburg, light was now the new architectural design feature, putting architecture centre stage. This reflected the circumstances of everyday life, where neither the church nor the urban bourgeoisie nor even the state itself was the foremost power-political imperative – which was, instead, the economy. There was no stopping the paradigm shift away from the self-declaratory town of the Middle Ages and the Baroque to the modernistic town, with the eloquence of the past stifled and smothered by advertising hoardings. "After 700 years of history, we have finally replaced the Gothic cathedral with the office block and so given visible expression to a transformation in society's understanding of itself,"[8] political scientist Ulrich Matz notes with penetrating accuracy. The town has altered its symbolic character in that it now expresses a pluralistic society in which there are no longer any clear authorities, just factors in competition with each other. It would be an exaggeration to speak of a seismic shift, however. We need only to think of San Gimignano and its skyline dominated since the thirteenth century by the trademark residential towers of the Tuscan urban nobility. There is an unbroken continuity from here to the skyline of concrete campaniles in central Frankfurt. If anything, these are the more consistent, since the

Marienkirche in Danzig/Polen,
1343–1502

Church of Our Lady in Gdansk/Poland,
1343–1502

Kölner Dom,
1248–1883

Cologne Cathedral,
1248–1883

Aber von einem Epochenbruch zu sprechen wäre übertrieben, wenn wir uns etwa die seit dem 13. Jahrhundert von den Wohntürmen des toskanischen Stadtadels geprägte Silhouette von San Gimignano vergegenwärtigen. Der Übergang zur Silhouette der Beton-Campanile in der Frankfurter Innenstadt ist fließend – allenfalls konsequenter, da die Hochhäuser, die heute die Kirchen verschatten, auch einen elementaren Wandel der gesellschaftlichen Ordnung markieren. Das war im Mittelalter nicht anders: Städtische Sakralbauten waren je nach Bauherr auch immer Ausdruck politischer Potenz von Kirche oder Bürgertum. Sie stellten Symbole ökonomischer Macht und stadtbildprägende Figuren in einem gesellschaftlichen Gebilde dar, in dem geistliche und säkulare Lebenswelt mindestens bis ins späte 17. Jahrhundert hinein untrennbare Bestandteile ein und derselben Wirklichkeit waren. Wir haben kaum eine Vorstellung von der Macht, die von diesen Bauten in den engen Städten ausging und zu denen sich innerhalb der Stadtmauern die optische Distanz des Betrachters nicht einstellen konnte. Eine Ahnung von der massiven Dominanz dieser Bauten geben bis heute die Silhouetten der Danziger Marienkirche oder des Kölner Doms.
Als die Städte ihre Ummauerungen im 19. Jahrhundert durchbrachen, versuchten ihre Architekten im steinernen Meer der wuchernden Industriesiedlungen markante Bauten optisch

high-rise buildings which today overshadow the churches also mark an elementary change in the social order. But that was much the same in the Middle Ages, when religious urban buildings were always also an expression of the political power of the church or citizenry, depending on the builder. They acted as symbols of economic power and were features stamped into the image of the town in a social fabric in which the spiritual and temporal worlds were inseparable elements belonging to one and the same reality at least until the late seventeenth century. We can now scarcely imagine the power exerted by these structures which, because of the cramped nature of the towns and their encircling walls, the observer could not see with any proper perspective. Yet some notion of the massive predominance of these structures can be gained even today from the outlines of the Church of St. Mary in Gdansk or Cologne Cathedral. When, in the nineteenth century, the towns extended beyond their walls, architects tried to highlight specific buildings in the surrounding sea of proliferating industrial estates by tearing down the houses in the immediate vicinity. Amongst these were structures essential for the centuries-old social and legal framework, known commonly as the "closes" adjacent to the cathedral, castle, or palace. Wayfinding within the town was simplified by clearing significant buildings of neighbouring houses

Berliner Stadtschloss mit
Schlossfreiheit, um 1890

*Berlin Castle with
surrounding closes, c. 1890*

Berliner Stadtschloss ohne
Schlossfreiheit, um 1910

*Berlin Castle without
surrounding closes, c. 1910*

rechts:
Metropolis, Ausschnitt »Die Stadt«,
Deutschland, 1926
Regie: Fritz Lang

*right:
Metropolis, section "The City",
Germany, 1926
Director: Fritz Lang*

hervorzuheben, indem sie im näheren Umfeld die Häuser abreißen ließen. Dazu gehörten jene Bauten jahrhundertealter sozialer Rechtsgefüge, die gemeinhin als Dom-, Burg- und Schlossfreiheiten bekannt sind. Die Orientierung innerhalb der Stadt wurde vereinfacht, indem bedeutende Bauwerke von als störend empfundenen Nachbarbauten »befreit« wurden. So hatte die Neuinszenierung des Berliner Hohenzollernschlosses durch den Abriss der Schlossfreiheit im Jahr 1892 auch eine neue Raumwahrnehmung des Stadtzentrums zur Folge. Die Architektur war wieder zum Leitbild der städtischen Orientierung geworden – durch reines Wegnehmen, nicht durch ein wie auch immer geartetes »Hinzubauen«.

Spätestens mit der Motorisierung des Stadtverkehrs an der Schwelle zum 20. Jahrhundert wurde die Straßenbeleuchtung zum Massenphänomen. Licht avancierte zu einem wesentlichen szenarischen und zugleich navigativen Element, um sich in der motorisierten Stadt zurechtzufinden. Die Wahrnehmung veränderte sich durch das elektrische Licht – und mit ihr die Architektur. Die Erfahrungen aus dem noch jungen Unterhaltungsmedium Film und besonders der dekorative Monumentalismus in Fritz Langs Zelluloidstreifen *Metropolis* (1926) als Ausblick auf die Großstadt im Jahr 2000 dienten als Anreiz, über zeitgenössische Stadtutopien, gesellschaftliche Entwicklungen und die Wahrnehmung

that were felt to be detrimental. By way of example, demolition of the Schlossfreiheit in 1892 created a whole new setting for the Hohenzollern Palace in Berlin and a completely new way of appreciating the space of the city centre as well. Architecture once again became the reference point for direction and wayfinding in the city – by way of removal rather than addition of structures.

It was not until the eve of the twentieth century and the advent of motorized traffic in towns that street lighting assumed massive proportions. Light gained in importance and became an essential part of the scene and also a navigational aid to getting about in the motorized urban environment. Electric light altered perception and that altered architecture, too. Still quite young as an entertainment medium, film, and in particular Fritz Lang's celluloid presentation of the city in "Metropolis" (1926) in all its decorative monumentality, looked forward to major conurbations at the turn of the twenty-first century and provided food for thought on contemporary urban utopias, social developments, and perceptions of the environment. Cinema and film defined everyday life just as much as other subjects in the cultural arena. During this era, the town was part of a great theatrical spectacle intended to express in its design the spirit of what was the first democratic society. Cinemas, cabarets, and theatres acted as the display windows for grand transactions. Whole boulevards

Venetian Resort Hotel in
Las Vegas/Nevada, 1999

Campanile an der Piazza San Marco,
Venedig/Italien, 1152

Venetian Resort Hotel in
Las Vegas/Nevada, 1999

Campanile on the Piazza San Marco,
Venice/Italy, 1152

der Umwelt nachzudenken. Kino und Film bestimmten ebenso wie andere Sujets des kulturellen Lebens den Alltag. Die Stadt dieser Jahre war Teil eines großen Bühnenschauspiels – der ersten demokratischen Gesellschaft sollte auch gestalterisch Ausdruck verliehen werden. Lichtspielhäuser, Kabaretts und Bühnen wurden zu Schaufenstern nobler Geschäfte; ganze Boulevards und markante Orte des gesellschaftlichen Lebens wie etwa der Potsdamer Platz in Berlin erschienen plötzlich wie in Licht getaucht.

»Das wahrscheinlich tyrannischste Element unserer heutigen Architektur ist der Raum. Wie die Besessenheit von klar geschnittenen Formen in der expressionistischen Architektur ein Erbe des Ornamentes ist, hat der Raum den Symbolismus der Formen verdrängt«, schreibt Robert Venturi. Immer drehe es sich darum, »unsere Lust an ausdrucksstarkem und kühnem Raum« zu befriedigen.⁹ Es gehe dabei um Raum und Licht, was im herrischen Pathos der Nationalsozialisten zunächst getestet wurde und heute in der Stadt als Circus Maximus längst Realität sei. Las Vegas sei das Leitbild und zugleich einzigartig in der Ausprägung. Als völlig neuartigen Straßentyp benennt Venturi den Strip, dessen Architektur in ihrer Konstruktion auf die Wahrnehmung der Stadt aus der Perspektive des Autofahrers zugeschnitten ist. Bezogen auf die gesamte Stadt wird der verschwenderische

and prominent locations in the life of society – Potsdamer Platz in Berlin, for example – suddenly seemed to be bathed in light. "Perhaps the most tyrannical element in our architecture now is space ... If articulation has taken over from ornament in the architecture of abstract expressionism, space is what displaced symbolism",⁹ writes Robert Venturi. The demand is always to "satisfy our lust for expressionistic, acrobatic space".¹⁰ The focus is on space and light, he says, first tried out in the imperious emotionalism of the National Socialists and long since converted into reality in the town as Circus Maximus. Las Vegas is the model for this, while still retaining its own unique individuality. Venturi regards the commercial strip as a completely new type of street because its architecture is designed to create a perception of the town as viewed from the car. Taking the town as a whole, the wasteful use of space in the inner urban area is matched by a similarly wasteful use of space on its edges, all at the expense of the surrounding countryside into which the towns relentlessly nibble. "Therefore our aesthetic impact should come from sources other than light," Venturi says, "more symbolic and less spatial sources."¹¹ It is almost impossible to spot the difference between the original Leaning Tower of Pisa and its imitation in Las Vegas, says Venturi. His apposite term for these trite structures with their interchangeable façades is

Nachbau des Pariser Eiffelturms im Freizeitpark *Windows of the World* in Shenzhen/China

Copy of the Eiffel Tower in the "Windows of the World" Amusement Park in Shenzhen/China

Nachbau des Pariser Eiffelturms vor einem Bekleidungskaufhaus in Almaty/Kasachstan

Copy of the Eiffel Tower in front of a clothes retail store in Almaty/Kazakhstan

Umgang mit Raum im Inneren durch einen ebenso verschwenderischen Umgang an der Peripherie und durch ein maßloses Sichhineinfressen der Städte in die Landschaft erkauft.
»Wir sollten deshalb eine Ästhetik verwenden«, plädiert Venturi, »die ihre Wirkung aus anderen Quellen als dem Licht bezieht, eher aus symbolischen als aus räumlichen Quellen.«[10]
Der Unterschied zwischen dem Schiefen Turm von Pisa im Original und seiner Kopie in Las Vegas sei kaum auszumachen. Venturi bezeichnet jene banale Bauten mit ihren austauschbaren Fassaden treffend als »dekorierte Schuppen«. Ein Blick in die heutigen Zentren der globalisierten Welt bestätigt diese wegweisende Beobachtung. Alles ist demnach beliebig reproduzierbar – sei es ein Eiffelturm in den Weiten Asiens oder ein Schloss Neuschwanstein am Gelben Meer. Die Wahrnehmung von authentischen Spuren bis hin zum Geruch gelebter und zerlebter Räume wird durch die bloße Tatsache des schönen Scheins ersetzt. Das Bauwerk mit seiner Rolle als Fußabdruck in der Stadt belügt den »Pfadfinder«, weil es keine Geschichte mehr erzählen kann. Architektur ist vielfach zu einem nichtssagenden Kubus mutiert, dessen Aussage erst nachträglich durch ephemere Informationsträger formuliert wird.

"decorated shed"[12]. A glance into the urban centres of today's globalized world confirms this pioneering observation. Whatever it is, it can be reproduced – from the Eiffel Tower in deepest Asia to Schloss Neuschwanstein on the Yellow Sea. Instead of the rich traces of life and authenticity in spaces we experience with all the senses, what we have now is simply a beautiful appearance. Structures as the very footprints attesting the identity of the town now bamboozle the "pathfinder" because they no longer have any history to relate. In so many ways, architecture has mutated into a mute building block only capable of statement through short-lived add-on information carriers.

Back to Architecture

Otl Aicher suggests a way out of the plight resulting from unfathomable size and irritating architecture: "We are as we show ourselves to be, and as we show ourselves, that is how we are."[13] This may sound trite, but it is still a clear formulation of the fact that the main concern can only be one of identity and authenticity. Former German Chancellor Helmut Kohl is said to have required of his new official home to be designed with the objective of creating recognition value. Anyone walking past the Chancellor's Office and later seeing it on television was to

Axel Schultes/Charlotte Frank:
Bundeskanzleramt in Berlin,
2001

Axel Schultes/Charlotte Frank:
Chancellor's Office in Berlin,
2001

Zurück zur Architektur

Einen Ausweg aus dieser Misere von unüberschaubarer Größe mit irritierender Architektur gibt Otl Aicher vor: »man ist so, wie man sich zeigt und wie man sich zeigt, ist man.«[11] So banal das klingt, so klar ist damit auch formuliert, dass es um nichts anderes als um Identität, um Authentizität gehen kann. Der frühere Bundeskanzler Helmut Kohl verlangte von der Architektur seines neuen Amtssitzes eine so klare Gestaltung, dass sie Wiedererkennungswert habe. Wer daran vorbeiläuft und das Bundeskanzleramt später im Fernsehen sieht, soll einen Aha-Effekt haben. So wie auch das Berliner Reichstagsgebäude, der Kölner Dom oder die Münchner Frauenkirche immer wiedererkannt werden. Die Aussage ist: Gute Architektur – also Bauten, mit denen sich nicht der Architekt feiert und die sich nicht selbst feiern, sondern erkennen lassen, was sie sind – braucht keine Hinweisschilder, weil sie auf sich selbst verweist. So wäre es unsinnig, an eine Kirche zu schreiben, dass es sich um eine Kirche handelt. Oder an ein Opernhaus, dass es eines ist. Diese Bauten sind erkennbar und damit ihr eigener Wegweiser.

Die heutige Architektur hat ihre Eindeutigkeit weitgehend verloren. Darin liegt häufig das Problem, wenn es darum geht, Leuchttürme im urbanen Häusermeer auszumachen. Denn ein

be able to recognize it instantly, as they would the Reichstag building in Berlin or the cathedrals in Cologne or Munich. The message is that good architecture – i.e. structures that do not celebrate the architect nor themselves but instead can be recognized for what they are without the need for indicator signs – explains itself. It would be silly to write on a church that it is a church. Or to do the same on an opera house. These structures are recognizable and so are their own signposts. Today's architecture has largely lost its explicitness. This is often the problem when we have to identify flagship buildings in the urban sea of houses. Because the expectation that Helmut Kohl had of a public building touches on a sore point. With even quite simple buildings, today you often cannot make out at first glance where the entrance is. There is a lack of hierarchy in the design and structure that otherwise would give clues as to the internal organization of the building, that might tell us something of its inhabitants and yet still make a design statement. Architecture often seems unusable and misleading, like the cutlery of the Italian designer Ferruccio Laviani. "In 1987, Laviani launched what is probably the world's first cutlery set that it is impossible to eat with," Otl Aicher wrote, wryly commenting on the circular, triangular, and square shapes imposed on the spoons, knives, and forks. It was clear, he added, that the real concern was not

Ferruccio Laviani:
Essbesteck, 1987

*Ferruccio Laviani:
Cutlery set, 1987*

Robert Venturi: Skizze aus
Learning from Las Vegas, 1972

*Robert Venturi: Drawing from
"Learning from Las Vegas", 1972*

solcher Anspruch, wie ihn Kohl an ein öffentliches Gebäude formulierte, legt den Finger in eine Wunde. Selbst bei einfachen Häusern weiß man heute oftmals auf den ersten Blick nicht, wo sich der Eingang befindet. Es fehlt die Hierarchie in Gestalt und Konstruktion, die auf das Innenleben des Gebäudes schließen lässt, womöglich auch etwas über die Bewohner sagt und dennoch einen gestalterischen Ausdruck formuliert. Architektur wirkt oft unbrauchbar und irreführend, ähnlich wie das Essbesteck des italienischen Designers Ferruccio Laviani. »Laviani brachte 1987 wohl das weltweit erste Essbesteck auf den Markt, mit dem man nicht mehr essen kann«, schrieb Otl Aicher spöttelnd angesichts von Kreis, Dreieck und Quadrat, die Löffel, Messer und Gabel bestimmen. Darin zeige sich deutlich, dass nicht der Gebrauchswert, sondern die nackte Formensprache zum Wert an sich erhoben werde. So wenig funktional wie der Stuhl, der »aussehen muss wie ein kunstwerk«, ohne nützlich zu sein, so sei das auch mit der Architektur. Nachdem sich die Architekten der Zwanzigerjahre zum Ziel gesetzt hatten, »jeden stil zu überwinden und zur sache zu kommen« und das Ornament verdammten, dafür aber die Formenlehre, die elementaren Gestaltungsmuster des Bauens zum konstruktiven Ornament erklärten, hat nun die Postmoderne die Formalien zu Ornamenten gemacht. Es sei die Philosophie der Postmoderne, so Aicher weiter, dass wir in einer

the utility value of the objects but the stark formal language of their design. A chair that "has to look like a work of art" without being actually useful is not functional, he says, adding that the same goes for architecture. The architects of the 1920s had made it their objective to "overcome every style and get to the heart of the matter", he notes, condemning ornamentation and replacing it with morphology, since in their view, the elementary aesthetic principles of construction were all the ornamentation that was needed. Postmodernism, in turn, has transformed the formal technicalities into ornamentation. Aicher further states that, according to the philosophy of postmodernism, we now live in a world of sign language. The conclusion is, "Let's simply build signs".[14] This entails the tiresome need to demonstrate that this or that building is something really special. Exaggerated pomp and wedding-cake-style structures on the one hand and dramatizing or sober monumentality on the other, with buildings of different function and purpose vying with each other, have led to the aesthetic collapse of architecture. And more than that, the buildings get lost in the urban environment.

So it is vital to have architecture that is both functional and able to convey a powerful statement, architecture that can distinguish between the simply beautiful (its strength lying in the overall visual effect) and the outstanding individual structure, which is

Einfamilienhaussiedlung in einem
Vorort von Las Vegas/Nevada

*Development with single-family
dwellings in a suburb of Las Vegas/
Nevada*

Robert Venturi: Skizze aus
Learning from Las Vegas, 1972

*Robert Venturi: Drawing from
"Learning from Las Vegas", 1972*

Welt der Zeichensprache lebten. Darum laute die Order: »bauen wir eben zeichen.«¹² Dazu gehört die leidige Eigenart sowohl der Kunst am Bau als auch der Kunst im öffentlichen Raum, zeigen zu müssen, dass dieses oder jenes Gebäude etwas Besonderes ist. Übertriebener Pomp und kitschiger Zuckerbäckerstil sowie dramatisierende und nüchterne Monumentalität, in der sich Bauten unterschiedlicher Funktion und Bestimmung gegenseitig Konkurrenz machen, haben letztlich nicht nur zum ästhetischen Kollaps der Architektur geführt. Gebäude verlieren sich in der Stadt.

Es geht also nicht ohne eine aussagekräftige und funktionale Architektur, die aber wieder unterscheidet – zwischen dem einfachen Schönen, dessen Stärke in der optischen Komposition liegt, und dem sowohl für das Gesicht einer Stadt als auch für die Allgemeinheit wichtigen, herausragenden Einzelwerk. In diesem Moment wird Architektur wieder selbst zum Leitsystem und macht alles andere überflüssig. Je mehr Symbole, Piktogramme und Sonstiges die Optik verhängen, um so mehr werden die Schwächen eines Gebäudes offenbar. So gesehen ist es ein Farce, dass die Neue Sachlichkeit ästhetisch mehr Verwirrung gestiftet hat, obgleich sie doch mit dem Anspruch angetreten war, im Kulturkampf gegen Stuck und Putte mit funktionaler Klarheit die Orientierung zu erleichtern.

significant for the face of a particular town and universally as well. When that is so, architecture once again becomes its own guidance system, rendering everything else unnecessary. The more symbols, pictograms, etc., there are to clutter the visual effect, the more obvious are the weaknesses of the building. In this regard, it is somewhat farcical that the New Objectivity has generated rather than removed aesthetic confusion, considering that it originally arose to combat stucco and cherubs and to simplify wayfinding by creating functional clarity. However, we first need to agree what manner of towns we want to have. We are still building so-called modernistic towns, apart from some spruced-up renovations that just look new, instead of the type of town that the ecological and economic conditions have long been crying out for. This fact is a declaration of cultural bankruptcy by those avant-garde forces that emerged 100 years ago and that, even today, determine the cultural canon of the professional architecture association. If we do not agree, every well-thought-out return to tried and tested ways will be unmasked as mere window-dressing. Within the walls of towns, living is pluralistic, but this is scarcely reflected at all in its setting, i. e. the architecture. This is probably what makes the difference between the ornamentation of earlier periods and what today is sold as artistic décor. The dragon gargoyle on a

Wasserspeier an einer gotischen Fassade

Gargoyle on a Gothic façade

Zunächst müssen wir uns aber darauf verständigen, welche Städte wir haben wollen. Dass wir derzeit immer noch, abgesehen von optischen neuen Aufmöblierungen, die Städte der sogenannten Moderne bauen, statt jene, die unsere Zeit ökologisch-ökonomisch längst verlangt, ist eine kulturelle Bankrotterklärung jener, die vor 100 Jahren als Avantgarde antraten und bis heute den Bildungskanon der Architektenzunft bestimmen. Verständigen wir uns nicht, entlarvt sich jede durchdachte Rückkehr zu Altbewährtem als schöner Schein. Innerhalb der Mauern der Städte spielt sich pluralistisches Leben ab, das sich jedoch in ihrem Bühnenbild, den Architekturen, kaum niederschlägt. Wahrscheinlich liegt hier der Unterschied zwischen der Ornamentik früherer Epochen und dem, was heute als Kunst am Bau verkauft wird. Der wasserspeiende Drache auf der gotischen Kathedrale hatte Aussagekraft, ebenso die Heiligen- oder Stifterfigur mit einer Kirche in ihren Händen. Seit über 150 Jahren sucht die mechanisierte Gesellschaft nach ihren eigenen Bildern – vergeblich. Oder auch nicht, weil man sich auf die Technik als Kunst, auf die Konstruktion als Ornament verständigt hat – auf die anschauliche Anonymität und damit auf das Grundmerkmal der Massengesellschaft. Zu selten entfaltet dieses Verständnis von Architektur eine harmonische Symbiose von Konstruktion und Form. Klar ist, dass nur Orte und Architekturen, die für sich sprechen, Zeichensysteme

Gothic cathedral made a statement, as did the figures of saints or founders with a church in their hands. For over 150 years, mechanized society has been trying – in vain – to find its own images. Or not, because it has been agreed that engineering is art and structure is ornamentation and that the order of the day is palpable anonymity, which is the fundamental feature of mass society. Only very rarely does a harmonious symbiosis of structure and form emerge from this sort of architectural concept. It is clear that only places and types of architecture that speak for themselves can make sign systems at all meaningful. Then, such wayfinding systems only have a specifying role because architecture has already assumed responsibility for the essentials. What is the point of a notice saying "entrance" on a building which has a portico that says as much on its own? Also, we have more or less learned how to read modern architecture. When there are two narrow doors at the end of a corridor, where else could they lead to other than the toilet? However, it becomes more difficult if an architect has decided to site the access point of a building in the cellar or on an upper floor. This can cause some confusion for people unfamiliar with the place, even if it is only when they are in the lift. Which button to press? Two categories of guidance system have emerged in our environment. One is the "loud-mouthed" notice that has to stand

Werbebanner in
Kowloon/Hongkong

*Advertising banner in
Kowloon/Hong Kong*

erst sinnvoll machen. Solche Orientierungen haben dann lediglich eine präzisierende Funktion, weil die Architektur schon das Wesentliche übernommen hat. Wozu braucht man ein Eingangsschild an einem Gebäude, an dem der Portikus schon Aussage genug ist? Auch haben wir mehr oder weniger gelernt, moderne Architektur zu lesen. Wo anders als zur Toilette geht es wohl hin, wenn sich am Ende eines Gangs zwei schmale Türen befinden? Schwieriger wird es allerdings, wenn sich ein Architekt überlegt hat, den Zugang zu einem Gebäude in den Keller oder in ein Obergeschoss zu legen. Spätestens im Aufzug führt dies zu einiger Konfusion bei ortsunkundigen Besuchern. Welchen Knopf soll man drücken?

In unserer Umwelt haben sich zwei Kategorien von Leitsystemen durchgesetzt: zum einen die »schreienden« Schilder, die sich an Flughäfen, Bahnhöfen und anderen Orten der Massengesellschaft behaupten müssen. Hier geht alles schnell und hektisch zu. Sie müssen »laut« sein, da sie gegen die Flut anderer Informationen anzukämpfen haben. Zum anderen gibt es die Orte der Langsamkeit, die für sich sprechen und daher genügend Information kommunizieren. Dort darf ein Leitsystem »flüstern«, vielleicht auch nur einen Teil seiner Informationen preisgeben. Diese Systeme, die darauf basieren, dass derjenige, der sie nutzt, Zeit zum Entdecken und Finden hat, setzen Räume voraus, die das auch

out at airports, railway stations, and other places where mass society congregates. Here, everything happens at a rapid and hectic pace. They have to be loud because they have to compete with a torrent of other information. The other type is for quiet, leisurely places. These places speak for themselves and so communicate enough information as they are. There, a guidance system can be allowed to whisper and perhaps only deliver part of its information. These systems that rely on users having the time to discover and find can only work in spaces conducive to them, in places that slow down the frenetic pace of city life. A type of architecture that beguiles visitors into lingering can work with an information, guidance, and wayfinding system that harks back to the past. For it is not as if there never used be any guidance systems. There have been many, from boundary or border stones through the arms and shields of knights and noble families, the trademarks of the craftsmen's guilds to flags and pennants which were also depicted on the doors of their holders. Even today, these historical guidance systems are still present in the arms of states and towns, even in those of the trade guilds. However, these old forms of corporate identity were generally wayfinding aids within society and they fulfilled the task of a modern guidance system vis-à-vis architecture, labelling identities and reinforcing rather than exaggerating them.

Seiten 40/41
Bushaltestelle an der Autobahn
A 100 in Berlin (Abriss 2010)

pages 40/41
Bus stop on the A 100 autobahn
in Berlin (demolished in 2010)

rechts
Detail einer Informationstafel mit
Braille-Schrift

right
Detail of an information panel written
in Braille

erlauben: Orte der Entschleunigung im rasenden Stadtrhythmus. Eine Architektur, die den Menschen zum Verweilen einlädt, kann auch hinsichtlich ihrer Informations-, Leit- und Orientierungssysteme eine Rückbesinnung auf die Geschichte vertragen. Es ist ja nicht so, dass es früher keine Leitsysteme gab. Vom Grenzmarkstein über die Wappen und Schilder von Rittern und Patrizierfamilien sowie die Markzeichen der Handwerkszünfte bis hin zu Flaggen und Wimpeln, die auch an den Häusern ihrer Träger abgebildet waren. Bis heute finden sich diese historischen Leitsysteme in Staats- und Stadtwappen, ja selbst in den Innungszeichen wieder. Bei diesen alten Formen der Corporate Identity handelte es sich aber meist um sozietäre Orientierungshilfen, die erfüllten, was auch ein modernes Leitsystem gegenüber der Architektur leisten muss: Identitäten kennzeichnen und unterstreichen, statt sie zu überzeichnen. In historischen Bereichen wie etwa Burgen, Schlössern oder Altstädten ist das einfach. Aber hier zeigt sich auch, dass ein Leitsystem allein auf den Designer gestellt lückenhaft bleibt. Es braucht den Architekten, damit wieder zusammenkommt, was sich im Laufe der Geschichte entkoppelt hat: Architektur und Kommunikationsdesign.

Anmerkungen

1 Frank Hartmann/Erwin K. Bauer: Bildersprache. Otto Neurath. Wien 2002
2 Otl Aicher: die welt als entwurf. Ulm 1991
3 Thomas Morus: Utopia. Übersetzt von Gerhard Ritter. Berlin 1922
4 Otl Aicher, 1991
5 Wolfgang Braunfels: Abendländische Stadtbaukunst. Köln 1991
6 Robert Venturi: Lernen von Las Vegas. Braunschweig/Wiesbaden 1979
7 vgl. Manfred Wegner (Hg.): Die Zeit fährt Auto. Ausstellungskatalog. Berlin 1999
8 Ulrich Matz (Hg.): Thomas von Aquin. De regimine principum. Stuttgart 1971
9 Robert Venturi, 1979
10 ibid.
11 Otl Aicher, 1991
12 ibid.

That is easy in historical contexts such as castles, palaces, or in the old parts of towns. But here it becomes apparent as well that a guidance system left solely to the designer will have gaps in it. It needs the architect to bring together what has become separated in the course of history – architecture and communication design. Everywhere where structures have lost their power to make statements or modified it in the historical process, the sensitivity of a wayfinding system will be what really counts.

Notes

1 *Frank Hartmann, Erwin K. Bauer: Bildersprache: Otto Neurath. Vienna, 2002*
2 *Otl Aicher: die welt als entwurf. Ulm, 1991*
3 *Thomas More: Utopia.*
4 *Aicher, 1991 (see note 2)*
5 *Wolfgang Braunfels: Abendländische Stadtbaukunst. Cologne, 1991*
6 *Robert Venturi, Denise Scott Brown, and Steven Izenour, Learning from Las Vegas: The Forgotten Symbolism of Architectural Form. Cambridge, MA and London, England, 1972, p. 9 in the revised 2001 edition*
7 *See Manfred Wegner (ed.): Die Zeit fährt Auto. Exhibition catalogue. Berlin, 1999*
8 *Ulrich Matz (ed.): Thomas von Aquin: De regimine principum. Stuttgart, 1971*
9 *Venturi, Brown, and Izenour (see note 6), p. 148.*
10 *Ibid.*
11 *Ibid.*
12 *Venturi, Brown, and Izenour (see note 6), p. 87 and elsewhere*
13 *Aicher, 1991 (see note 2)*
14 *Ibid.*

begehbare Wege und Straßen

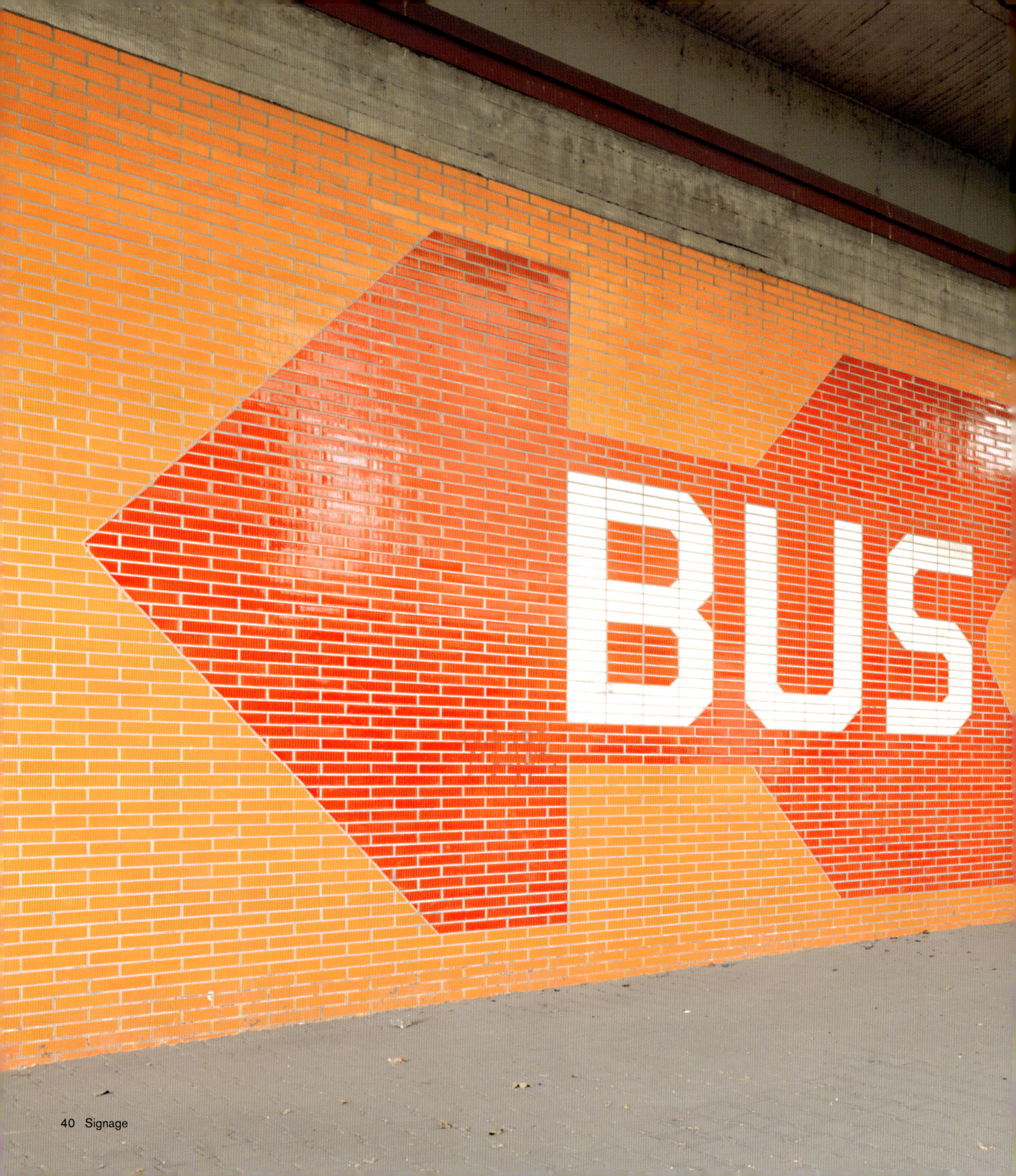
BUS

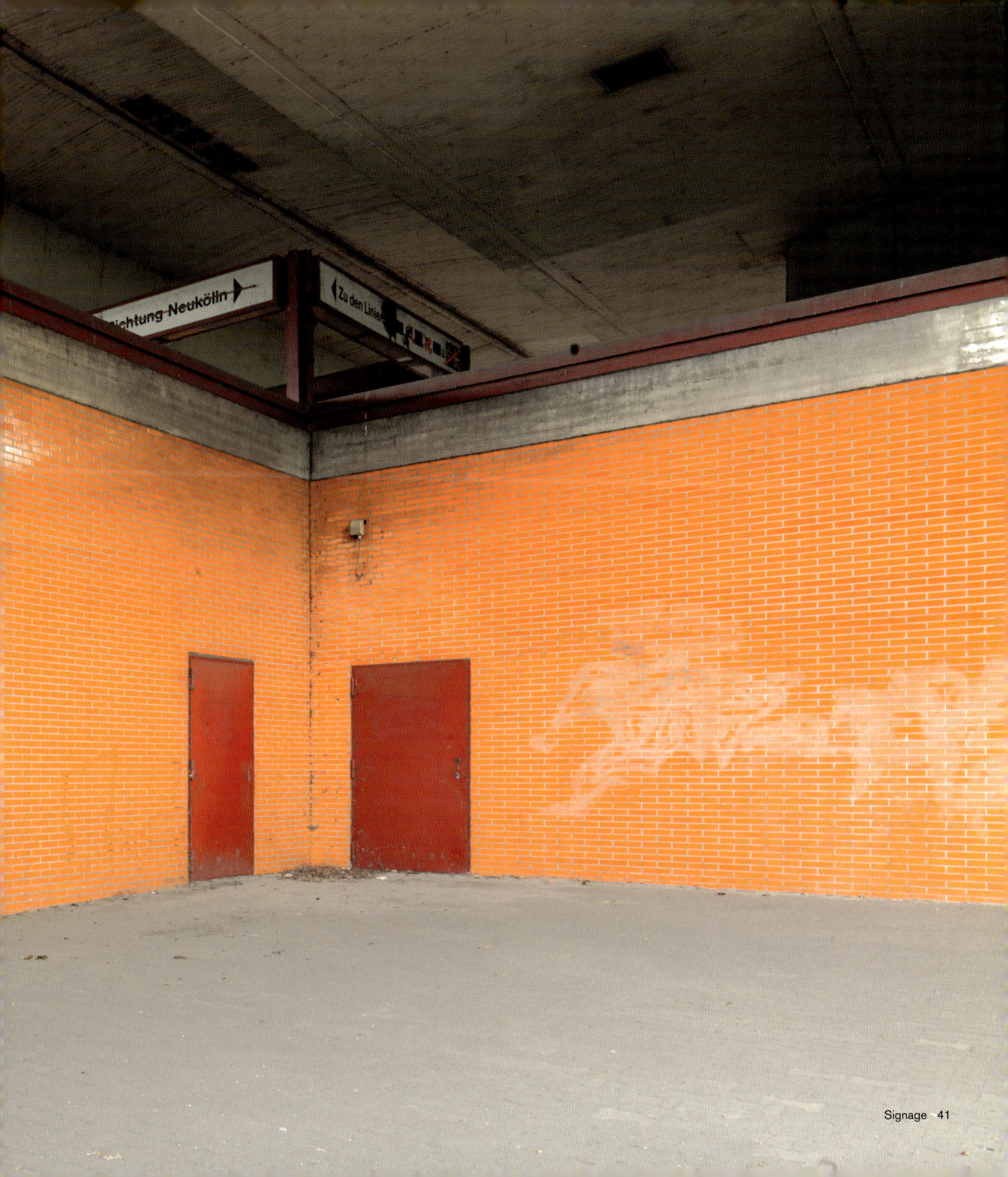
Neukölln
Zu den

Leitsystem für die Altstadt
Signage in Naumburg
Naumburg an der Saale

Auftraggeber
Stadt Naumburg an der Saale,
Amt für Stadtsanierung

Standorte
Unter dem Dom, Domplatz,
Lindenring, Hohe Lilie, Topfmarkt,
Holzmarkt, Vogelwiese, Markt,
Marienplatz, Nietzsche-Haus,
Theaterplatz, Kramerplatz

Zeitraum
2004–2007

Wenn eine Stadt über ein kunsthistorisch so bedeutsames und schönes Zentrum verfügt, will sie es verständlicherweise auch für Besucher und Touristen öffnen und ihnen die Sehenswürdigkeiten vorstellen. Sie läuft dabei allerdings nicht selten Gefahr, die Schönheit des Ortes mit bunten Hinweisschildern, Infotafeln oder Orientierungsplänen zu verstellen. Für die alte Domstadt Naumburg an der Saale entstand ein Leitsystem, das dieses Risiko einer Reizüberflutung mit ausgesuchter Zurückhaltung in Farbe und Gestaltung umgeht und dennoch optimale Information bietet. Ausgangspunkt des Entwurfs war der Stadtgrundriss selbst, der in Form sogenannter Info-Bodensteine an zentralen Punkten entlang des Weges eingelassen wurde. Straßen, Plätze und Gebäude sind wie auf einem Stadtplan erkennbar; besondere Sehenswürdigkeiten werden mit bronzefarbener Markierung hervorgehoben. Ein Infomast markiert nicht nur den jeweiligen aktuellen Standort des Betrachters, sondern trägt, einer starren Flagge gleich, eine Tafel mit Hintergrundinformationen zu Ort und Geschichte. Die gedeckte Farbigkeit des Systems tritt nie in Konkurrenz zum altehrwürdigen Stadtkern mit seinen jahrhundertealten Gebäuden, sondern hält sich dezent zurück.

An attractive historical centre is a great asset for a town, at least if visitors can find their way around. But how to give sufficient information without cluttering up the streets with loud signage? The wayfinding system created for Naumburg quietly eschews visual overload and tells visitors all they want to know about the old cathedral town. The restrained design is based on circular relief maps let into the ground at central points along the route, upon which important sights are marked in bronze. A flagpole tells sightseers where they are, and its panel flag provides detailed information.

Signage 43

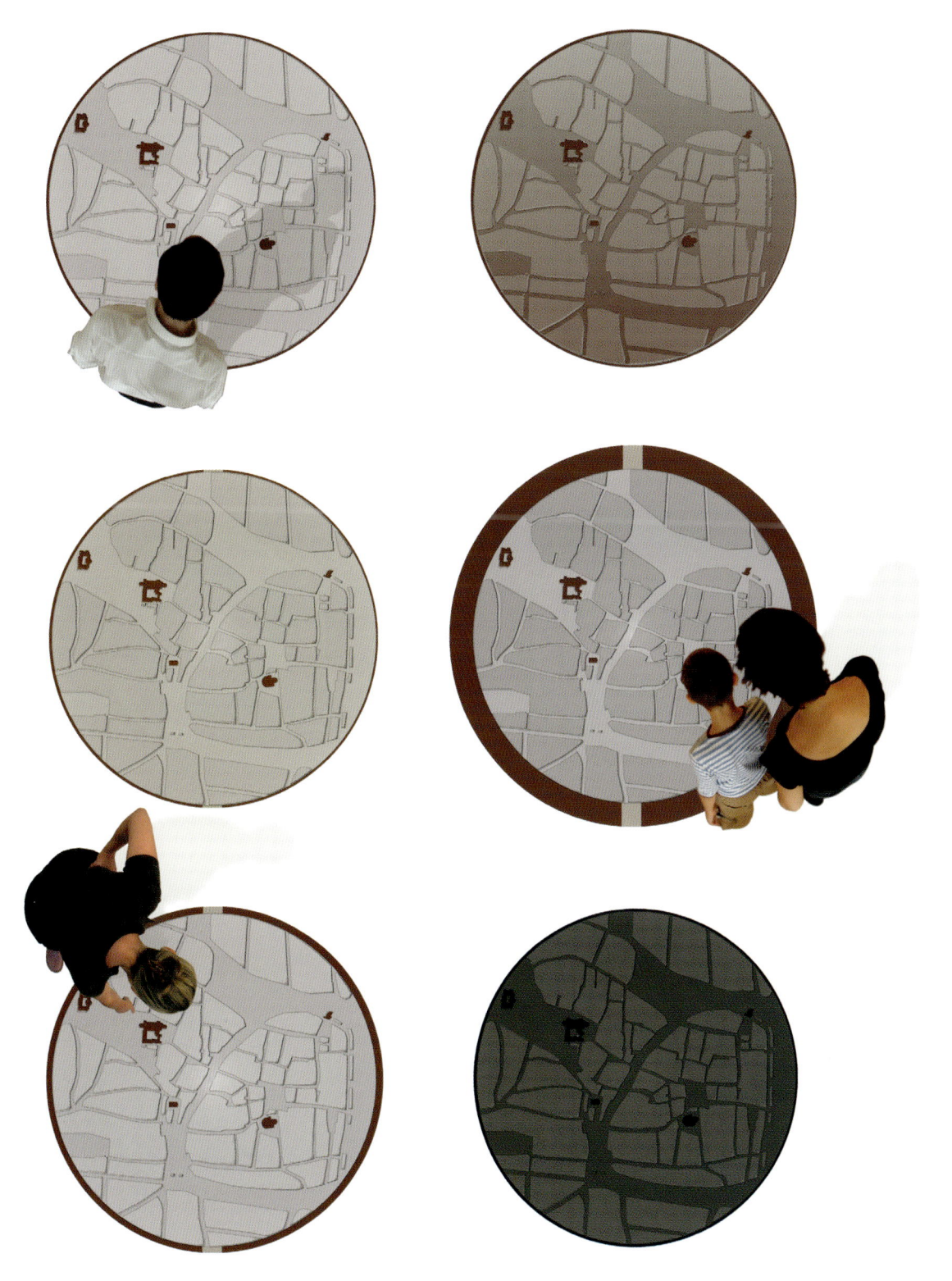

Hohe Lilie
Stadtmuseum
Markt 18

Signage 45

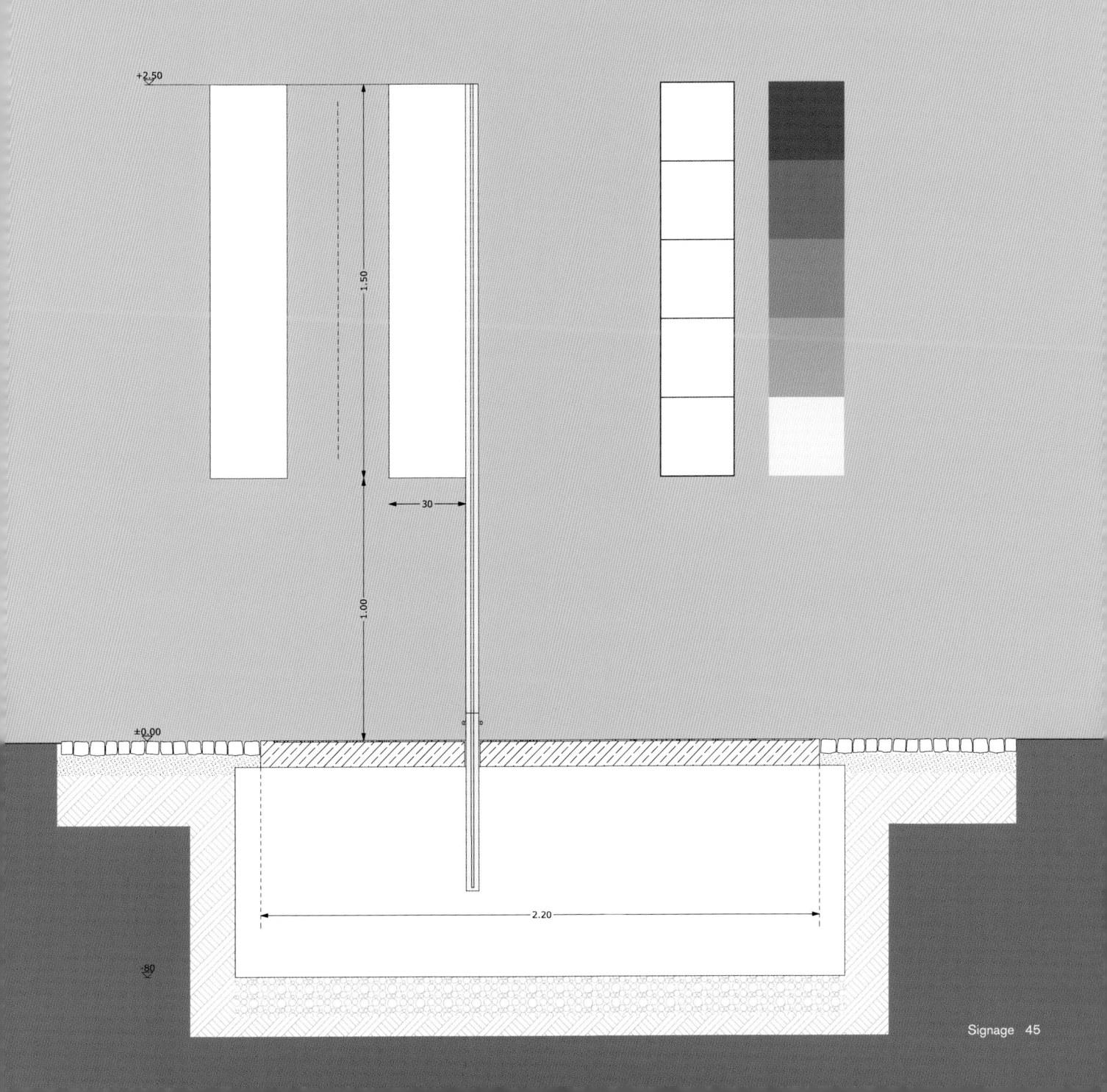

46 Signage

Modellbau, Formenabguss und
Produktion der Bodenplatte

*Modelling, casting and producing
of the relief maps*

Signage 47

Signage

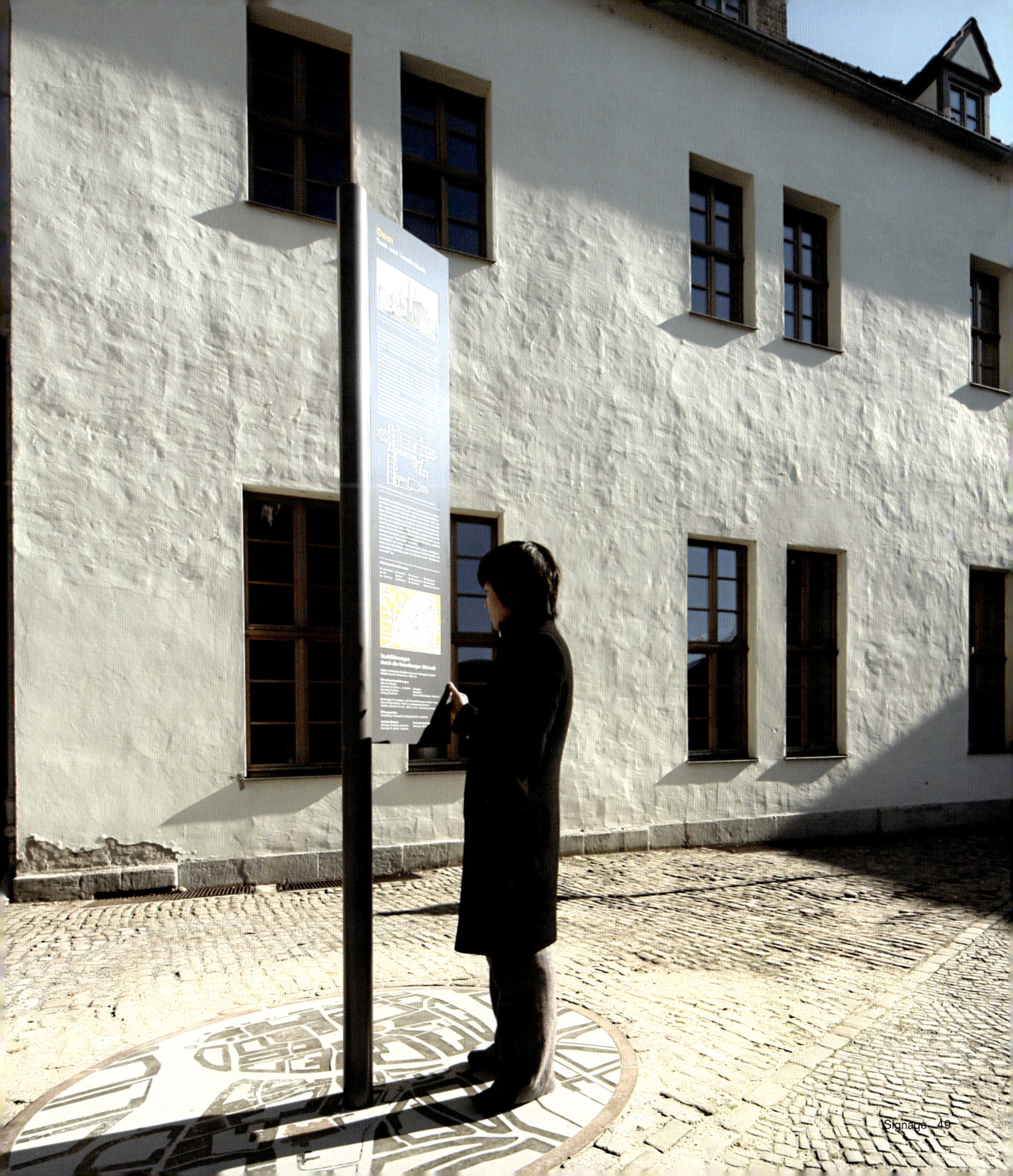
Dom

Burgen, Schlösser, Altertümer
Fortresses, Castles and Antiquities
Land Rheinland-Pfalz

Auftraggeber
Landesbetrieb Liegenschafts- und
Baubetreuung, NL Koblenz

Standorte
65 staatliche Burgen, Schlösser
und Altertümer in Rheinland-Pfalz

Wettbewerb und Planung
2003 – 2007
(Arbeitsgemeinschaft mit
Adler & Schmidt Kommunikations-
Design GmbH)

Die Idee war schlicht: Keine Schilder. Stattdessen sollten Ort und Architektur selbst zu Wort und Geltung kommen. Das neue Leitsystem für die 65 historischen Liegenschaften entlang des Rheins, prämiert in einem europaweiten Wettbewerb, basiert auf einer Melange unterschiedlicher Kommunikationsmittel, die je nach Informationsebene konzipiert wurden. Bauhistorische Erläuterungen, Service-Angebote und Hinweise auf temporäre Veranstaltungen werden über jeweils spezifische Medien vermittelt; eine zeitgemäße Typografie sowie die eigens entwickelte Piktogrammsprache bilden die verbindenden Elemente. Die direkt auf die Bauten applizierten zurückhaltenden Beschriftungen und Hinweise ergänzen die dreidimensionalen, auf Blöcke aufgebrachten Karten, die ohne weitschweifige Beschreibungen auskommen und intuitiv verständlich sind. Zusätzlich erhalten die Besucher beim Erwerb der Eintrittskarte einen Orientierungsplan. Die Festung Ehrenbreitstein war das Pionierprojekt bei der Einführung des neuen Leitsystems; für weitere Orte ist die Umsetzung in Planung.

The idea was a simple one: no signs. Instead, place and architecture were to speak for themselves. The new wayfinding system for 65 historical sites along the Rhine uses different media for different types of information (architecture/history, services, special events). A modern typography and a specially designed set of pictographs unify the whole. Directional signage applied straight onto the walls is supported by intuitively accessible relief maps mounted on cubic blocks as well as orientation plans distributed at the entrance.

Signage 51

52 Signage

Signage 53

NNTAGS und WERKTAGS GEÖFFNET
TSTEIN
RHEINLAND-PFALZ
DENKMALPFLEGE
Jugendherberge
oiletten WC
unter dem Denkmal
Jugendherberge
Ehrenm
des He

Un

Signage 55

Contregarde rechts
Contregarde rechts
Contregarde rechts
Contregarde rechts

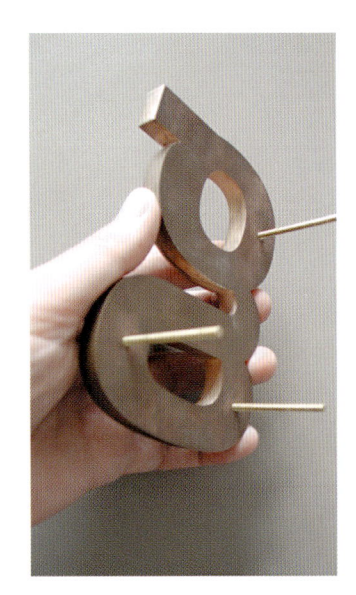

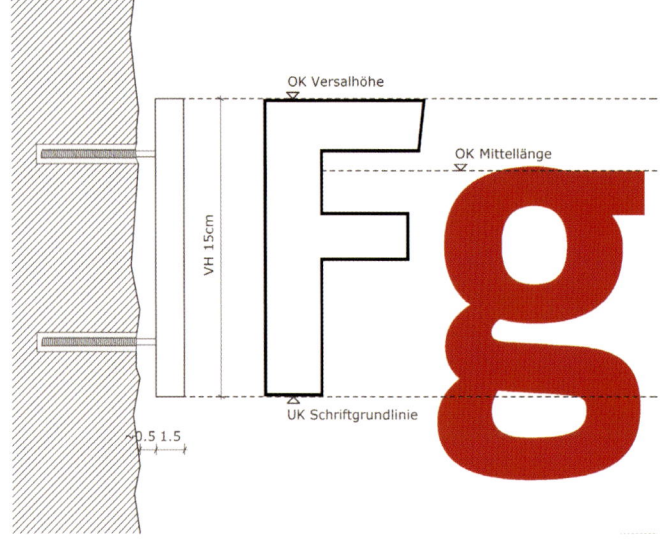

56 Signage

Contregarde rechts

Grabentor

Poterne

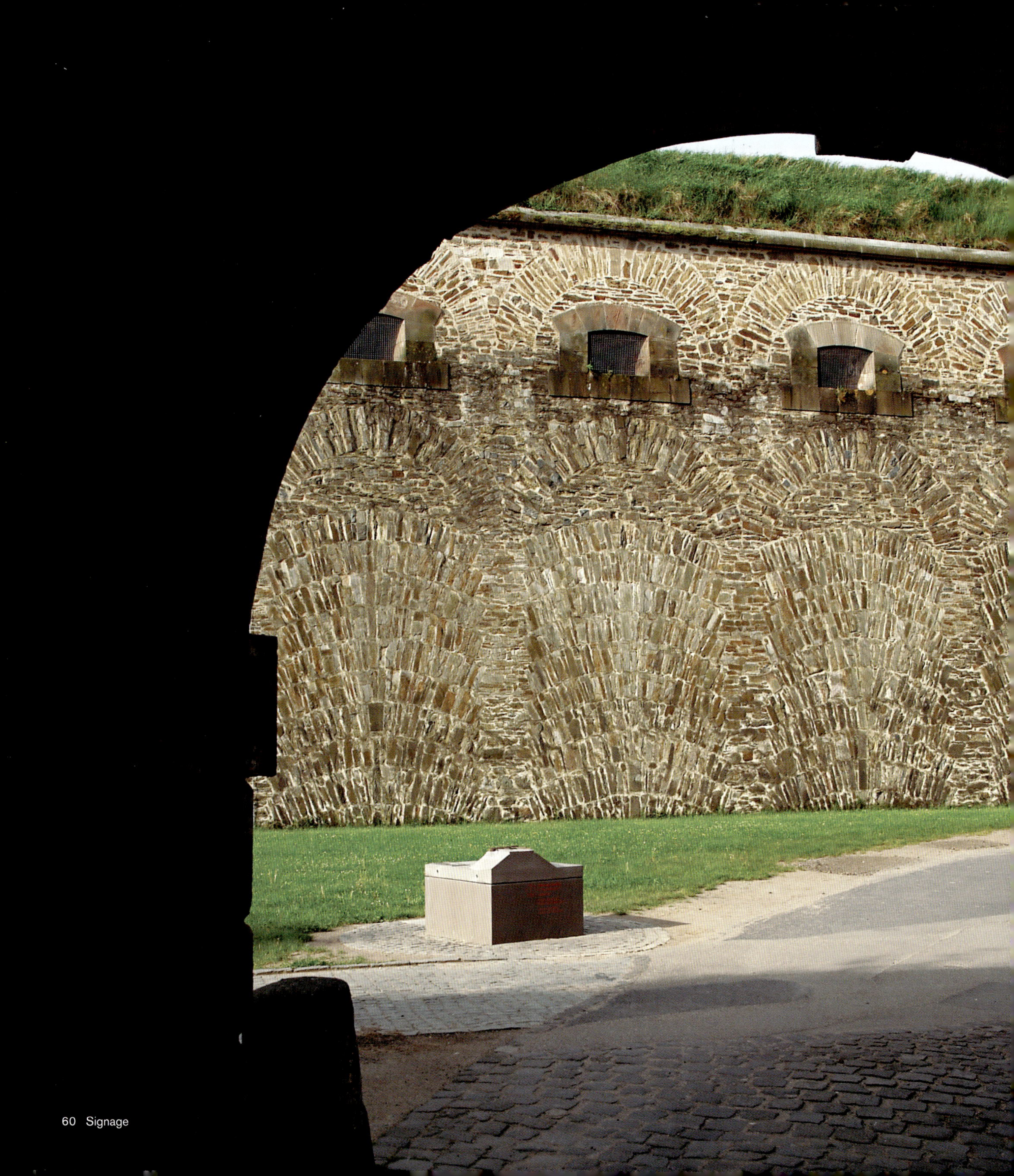

Tickets

Öffnungszeiten

Festung
ganzjährig täglich durchgehend geöffnet

Mitte März bis Mitte November täglich:
Museumsshop	Infozentrum „Turm Ungenannt"	10.00 – 17.00 Uhr
Besucherdienst	10.00 – 17.00 Uhr
Landesmuseum Koblenz	09.30 – 17.00 Uhr

April bis Oktober täglich:
Festungs-Führungen	10.00 – 17.00 Uhr

Preise

	Festung einfach ohne Museen, Ausstellungen, Führungen	Festung total inkl. Museen, Ausstellungen, vergünstigte Führungen
Erwachsene	€ 1,10	€ 3,10
Kinder, Jugendliche	€ 0,50	€ 2,00
Ermäßigte¹	€ 0,60	€ 2,10
Familie (2 Erw. inkl. Kinder)	€ 2,50	€ 6,10
Familie (1 Erw. inkl. Kinder)	€ 2,50	€ 5,10
Gruppe (ab 10 Personen)	€ 0,60 p.P	€ 2,10 p.P.
Gruppe Kinder, Jugendliche	€ 0,50 p.P.	€ 0,70 p.P.

Jahreskarte:
Erwachsene (inkl. Kind)	€ 10,30
Kinder, Jugendliche	€ 5,00
Familie (2 Erw. inkl. Kinder)	€ 25,50

Freier Eintritt unter 6 Jahren
¹ Ermäßigte Eintrittspreise erhalten: Schüler-/innen, Studierende, Personen über 65 Jahre, Schwerbehinderte mit Begleitperson, Wehrpflichtige der Bundeswehr und andere Streitkräfte, Zivildienstleistende, Helfer-/innen im sozialen Jahr, Arbeitslose

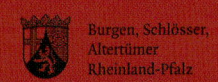

Burgen, Schlösser, Altertümer Rheinland-Pfalz

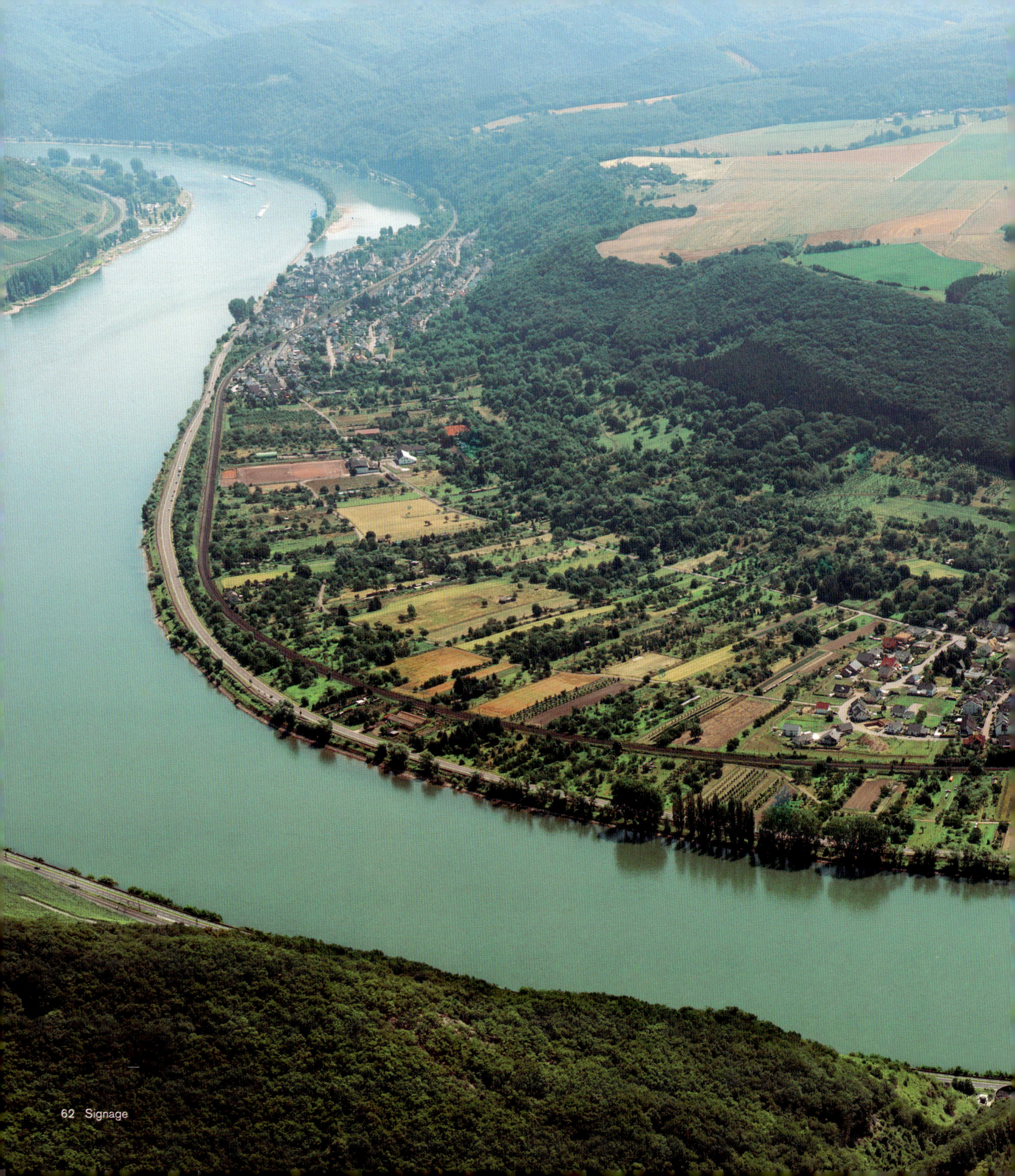

HHN

BOPPARD AM BOPPARDER HAMM, DER GRÖSSTEN RHEIN-SCHLEIFE, ÄNDERT DER FLUSS SEINE RICHTUNG IN EINER DOPPELTEN S-KURVE ZWEIMAL UM FAST 180 GRAD.

BOPPARD TO THE NORTH OF THE CITY OF BOPPARD, THE RHINE RIVER DRAMATICALLY CHANGES DIRECTION IN A GIGANTIC S-CURVE.

Schlösser, Burgen und Gärten
Castles, Fortresses and Gardens
Freistaat Sachsen

Auslober
Staatsbetrieb Sächsisches
Immobilien und Baumanagement
Niederlassung Dresden I

Standorte
19 Objekte und Liegenschaften
im Freistaat Sachsen

Wettbewerb
2010/2011 (2. Phase)

Der Entwurf stellt sich der Herausforderung, für das bauhistorisch einmalige Schlösserland Sachsen eine selbstbewusste und zugleich zurückhaltende Signaletik zu entwickeln. Vor allem geht es darum, die Ernsthaftigkeit des Denkmalschutzes zu unterstreichen und aufgrund des innovativen Ansatzes und einer großen Barrierefreiheit ein für die europäische Kulturlandschaft zukunftsweisendes Leit- und Orientierungssystem zu schaffen. Die Informationsvermittlung verläuft grundsätzlich auf drei Ebenen, um mit der Signaletik alle Gäste gleichberechtigt erreichen zu können: konventionell über die Eintrittskarte mit gedruckten Informationen (für technikscheue Besucher), digital über eine intuitive Navigation auf den Mediensäulen (barrierefrei für ältere, selbstverständlich für junge Menschen) und mobil über ein markerbasiertes Tracking (ausbaufähig im Bereich der zukünftigen Nahfeld-Kommunikation).

The challenge here was to design a wayfinding system for Saxony's unique castle landscape. At once bold and restrained, the design submitted by the authors highlights the importance of preserving historical monuments while at the same time ensuring handicapped access. Their innovative approach is a promising model for similar projects all over Europe. To ensure that all visitors profit equally from their visit, three different channels are used to transmit historical facts and background information: printed information on the entrance tickets (for the less technologically minded), digital information on media columns (easily and intuitively navigable for old and young alike) and mobile information using a marker-based tracking system (development options in near-field communication).

Signage 65

Schloss und Park Pillnitz

Schloss und Park Pillnitz

Mediensäule auf einer Bodenplatte
mit eingelassenem Grundriss

*Media column based on a circular
relief map*

Signage 67

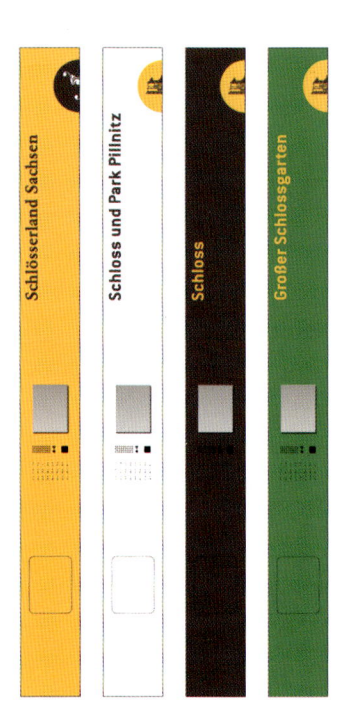

**Farbkonzept für
die Ortskennzeichnung**

Dachmarke: 0/30/100/0
Liegenschaft: 0/0/0/0
Gebäude: 0/0/0/90
Parkanlage: 85/20/85/0

*Colour scheme for
signage*

Brand: 0/30/100/0
Estate: 0/0/0/0
Building: 0/0/0/90
Park: 85/20/85/0

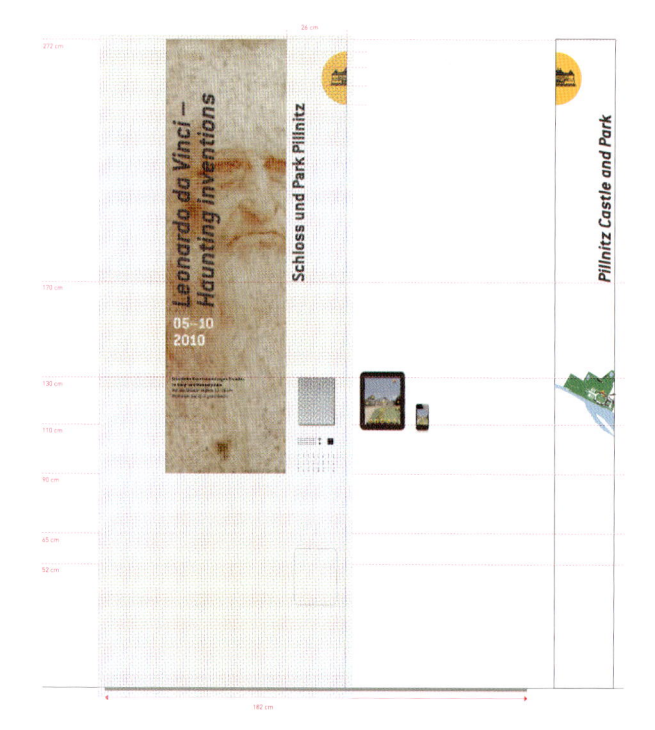

Schlösserland Sachsen

Schloss und Park Pillnitz

Kunstgewerbemuseum

Leonardo da Vinci – Bewegende Erfindungen

70 Signage

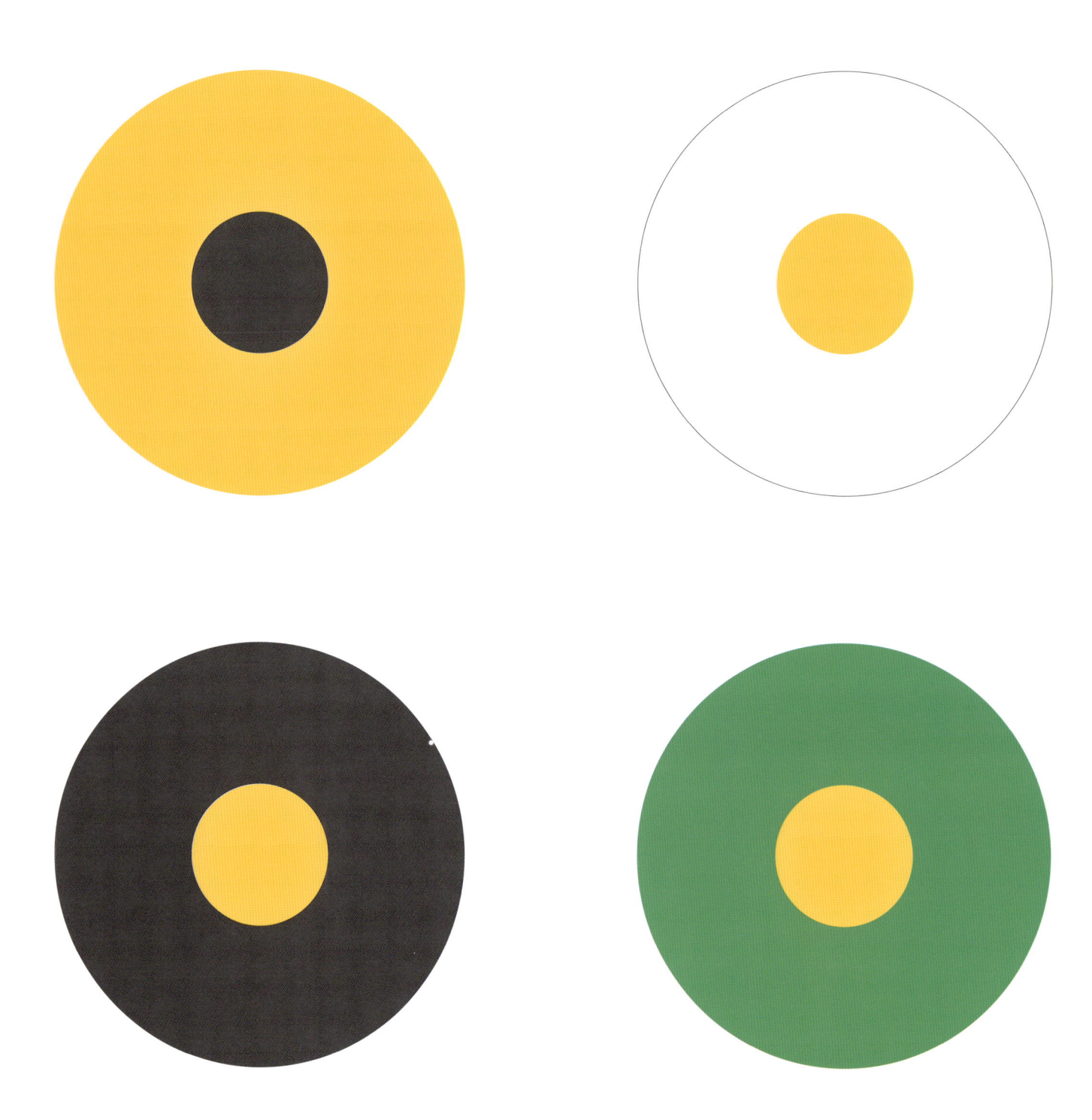

Signage 71

Pillnitz
Schloss und Park

Navigation im Außenraum über Marker
und Nahfeld-Technologie

*Outside navigation with a marker-based
tracking system and near-field technology*

Navigation im Innenraum über Marker
und Nahfeld-Technologie

*Inside navigation with a marker-based
tracking system and near-field technology*

1

2

3

Eintrittskarte als Orientierungsplan
The entrance ticket is also a map.

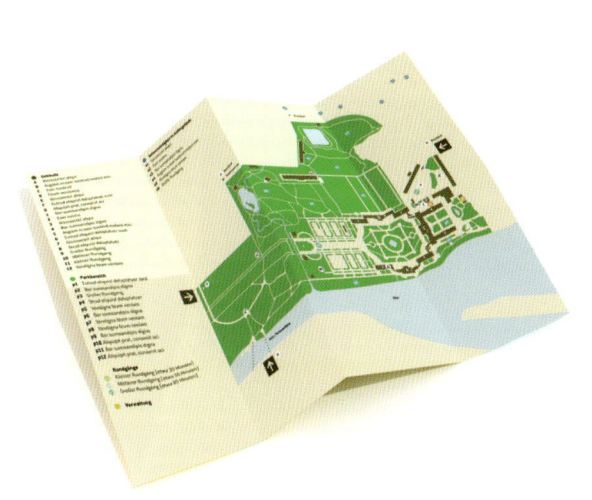

Signage 73

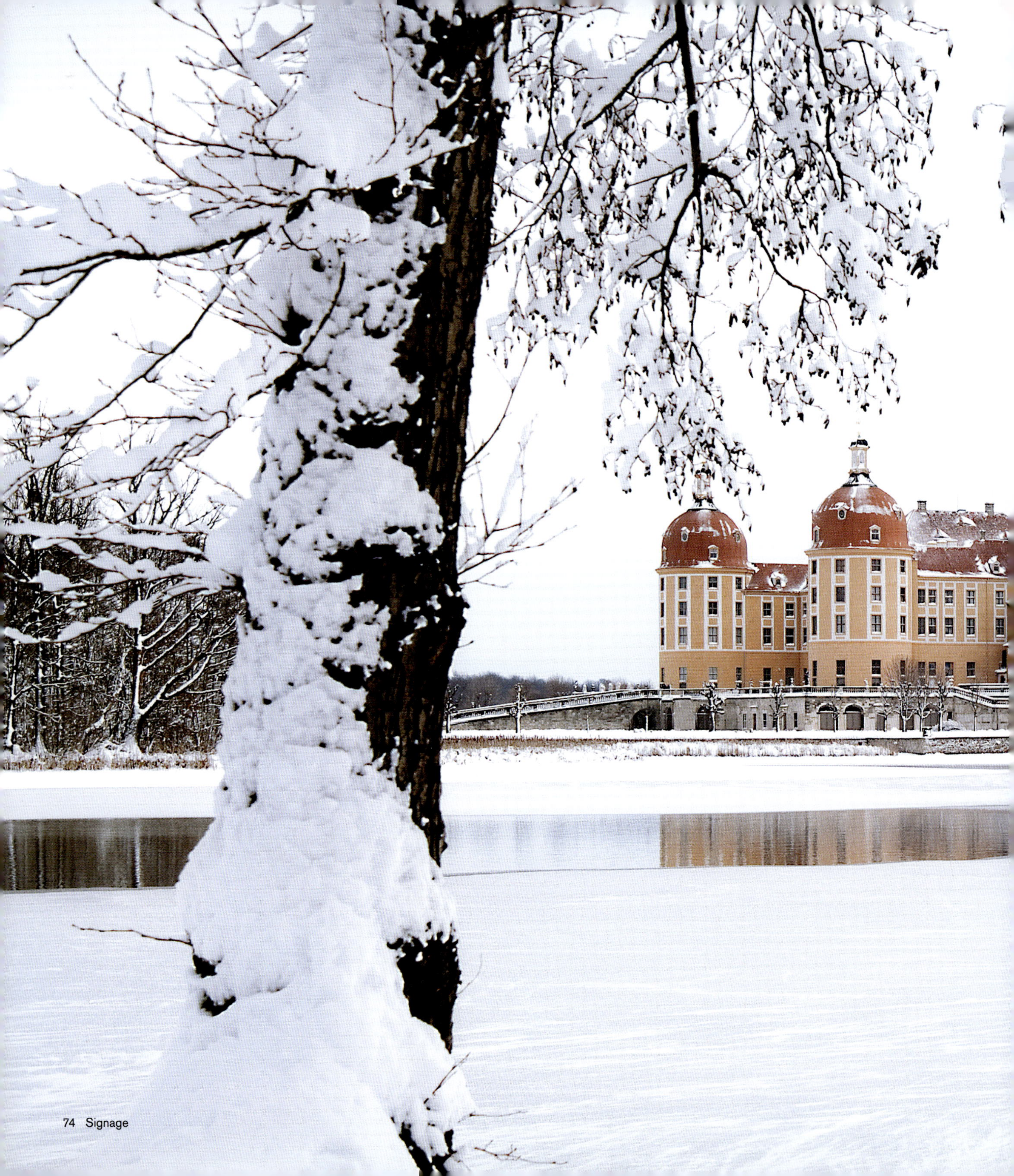

DRS

MORITZBURG AUF DEN MAUERN EINES RENAISSANCEBAUS VOR DEN TOREN DRESDENS LIESS AUGUST DER STARKE DAS REPRÄSENTATIVE JAGD- UND LUSTSCHLOSS ERRICHTEN.

MORITZBURG THE WALLS OF A RENAISSANCE BUILDING OUTSIDE THE CITY OF DRESDEN SERVED AUGUSTUS THE STRONG AS FOUNDATIONS FOR HIS IMPOSING HUNTING LODGE AND PLEASURE SEAT.

Schleich GmbH
Schleich GmbH
Schwäbisch Gmünd

Auftraggeber
Schleich GmbH

Umsetzung
seit 2008

Ein gutes Leitsystem erklärt sich immer selbst und benötigt naturgemäß keine erläuternde Beschreibung. Allenfalls der Hintergrund einer Gestaltungsidee verdient einen gesonderten Blick, und im Falle einer Spielzeugfirma, die vor allem für ihre naturgetreuen Tierfiguren berühmt ist, ist er sogar ein wenig unterhaltsam. Doch von Anfang an: Die Entwicklung des neuen Leitsystems begann mit dem Firmenlogo, einem kreisrunden, leuchtend roten Signet, das in den spielerischen Annäherungen der Gestalter zum sprichwörtlichen Ausgangs-Punkt der gesamten Konzeption wurde. Aus dem signalfarbenen Kreis ließen sich alle erforderlichen Hinweise, Zeichen, Signale generieren. Ob Hinweise auf Funktions- oder Technikräume, Sanitärbereiche oder Wegeverbindungen: Alles besteht hier aus runden Punkten, die direkt auf die Wände appliziert wurden. Auch die großformatigen Tiermotive, mit denen vier unterschiedliche Firmenbereiche gekennzeichnet sind. Ihre charakteristischen Merkmale deuten auf das hin, was in den einzelnen Gebäudeteilen vor sich geht. Aber wie schon gesagt, hier erklärt sich alles von selbst. Einfach gucken.

Good design requires no explanations. Yet in the case of this manufacturer of miniature toy animals, the background behind the design makes quite an amusing story. For the company's circular logo quite literally provided the point of departure for the new wayfinding system. A bright red dot is the basic element of all signs and pictograms marking all rooms and routes. The large animal motifs assigned as emblems to the different buildings also consist of colourful dots applied straight onto the walls. Which building are we in? The heraldic animals speak for themselves. Like all good design.

Signage 77

ABCDEFGHIJKLMNOPQR
STUVWXYZ
abcdefghijklmnopqrstxyz
1234567890
.,:;-«»%&()'+=?!

Schrift
Die »Avenir« von Adrian Frutiger ist eine Schrift mit geometrischen Grundformen, aber von Hand gezeichnet. Durch ihre gute Lesbarkeit ist sie besonders für Orientierungssysteme geeignet. Die runde, perlige Schrift bildet einen Akzent zur rechtwinkligen Architektur und unterstützt durch ihren eigentümlichen runden Punkt die visuelle Sprache der gesamten Erscheinung.

Gebäudeteil A
Verwaltung
Schleich Rot

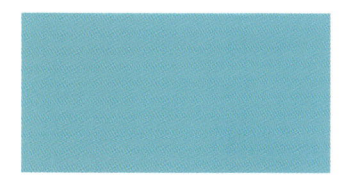

Gebäudeteil B
Fertigung
Pantone 3135 U

Gebäudeteil C
Lager
Pantone 143 U

Gebäudeteil D
Versand
Pantone 382 U

A_01.015
Paul Kraut
Geschäftsführung

C_01.015
Herr Barth
Formen und Werkzeugbau

B_00.005
Herr Hägele
Schlosserwerkstatt

D_00.007
Herr Barth
Formen und Werkzeugbau

Beschilderung
Diese Raumkennzeichnung muss flexibel sein, da die Personen wechseln. So erhält jeder Raum ein eigenes Türschild mit dem entsprechenden Tiercode. Die Einleger können von den Mitarbeitern selbst mittels einer dazugehörigen Software gestaltet werden. Mit einer Größe von 15 cm × 15 cm entsprechen die Türschilder dem kleinsten Modul der angelegten Informationstypen (siehe Seite 82).

Farben
Die Farben des Orientierungssystems müssen sich deutlich von den Farben der Umgebung abheben, um ihre wegweisende Aufgabe erfüllen zu können. Die Ausgangsfarbe dafür ist das Schleich-Rot. Alle zusätzlichen Farben leiten sich aus dem Farbcode der Schleich-Produkte ab.

Symboltiere

Jeder der vier Schleich-Bauten ist durch eine Farbe und ein entsprechendes Tier codiert. So gibt es zum Beispiel ein Gebäude, das unter dem Schutz des Löwen steht und als Orientierungs- und Identitätsfarbe ein leuchtendes Rot erhält. Zusätzlich ist das jeweilige Bauteil durch einen Buchstaben gekennzeichnet.

Piktogrammsystem
Auch die Piktogramme basieren in ihrer Grundform auf dem Punkt. So entsteht ein eigenes, individuelles Piktogrammsystem. Die Farbe der Piktogramme unterliegt dem entsprechenden Gebäudefarbcode.

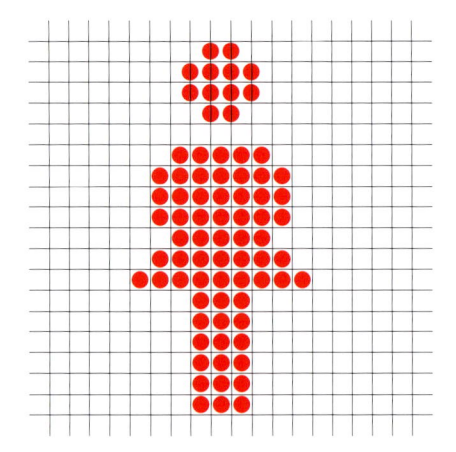

Signage 81

30 × 30
45 × 45
60 × 60
75 × 75
90 × 90
105 × 105
120 × 120
135 × 135

Informationstyp 01
15 cm × 60 cm

Informationstyp 02
60 cm × 30 cm

Informationstyp 03
60 cm × 90 cm

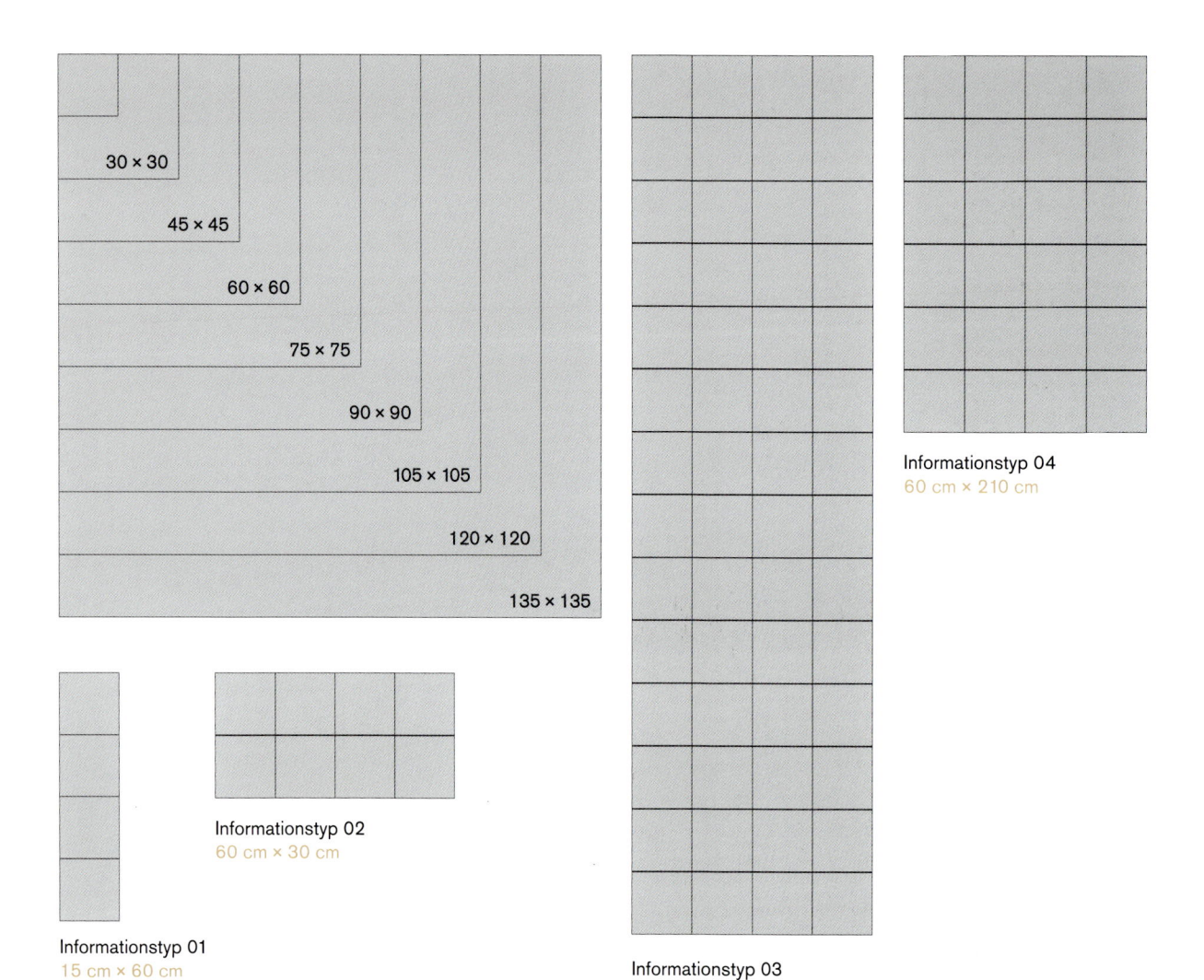

Informationstyp 04
60 cm × 210 cm

Maßübersicht der Infotypen
Das Grundformat jedes Informationstypen ist das Quadrat, abgeleitet von der Form des Punktes. So ist das gesamte Orientierungssystem auf einem Modulraster aufgebaut, dessen kleinste Modulgröße 15 cm × 15 cm beträgt.

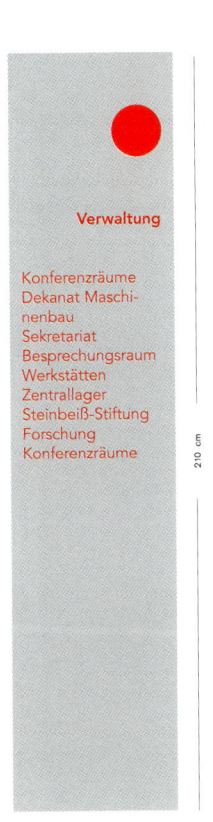

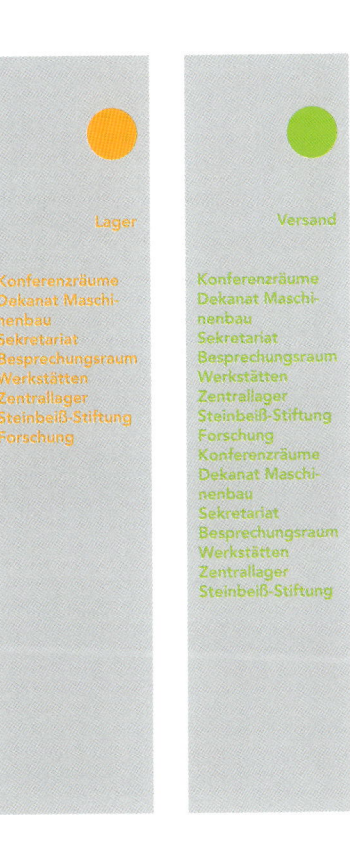

Beispiel Informationstyp 04
Stelen, Nebenverteiler: Jedes Gebäude ist durch eine Betonstele gekennzeichnet. Bei näherem Herantreten erhält man detaillierte Informationen zu dem Gebäude.

Verwaltung

Konferenzräume
Dekanat Maschinenbau
Sekretariat
Besprechungsraum
Werkstätten
Zentrallager
Steinbeiß-Stiftung
Forschung
Konferenzräume

Fertigung

Konferenzräume
Dekanat Maschinenbau
Sekretariat
Besprechungsraum
Werkstätten
Zentrallager
Steinbeiß-Stiftung
Forschung
Konferenzräume
Dekanat Maschinenbau
Sekretariat
Besprechungsraum
Werkstätten
Zentrallager
Steinbeiß-Stiftung
Forschung
Werkstätten
Zentrallager
Steinbeiß-Stiftung
Forschung

Lager

Konferenzräume
Dekanat Maschinenbau
Sekretariat
Besprechungsraum
Werkstätten
Zentrallager
Steinbeiß-Stiftung
Forschung

Versand

Konferenzräume
Dekanat Maschinenbau
Sekretariat
Besprechungsraum
Werkstätten
Zentrallager
Steinbeiß-Stiftung
Forschung
Konferenzräume
Dekanat Maschinenbau
Sekretariat
Besprechungsraum
Werkstätten
Zentrallager
Steinbeiß-Stiftung

210 cm

60 cm

Wegweiser
Für die interne und externe Orientierung werden einfache Zeichen- und Beschilderungssysteme entwickelt, die dem Gebäude Identität verleihen. Einzelne Büros sind mit zusätzlichen Tiersilhouetten akzentuiert.

Signage 83

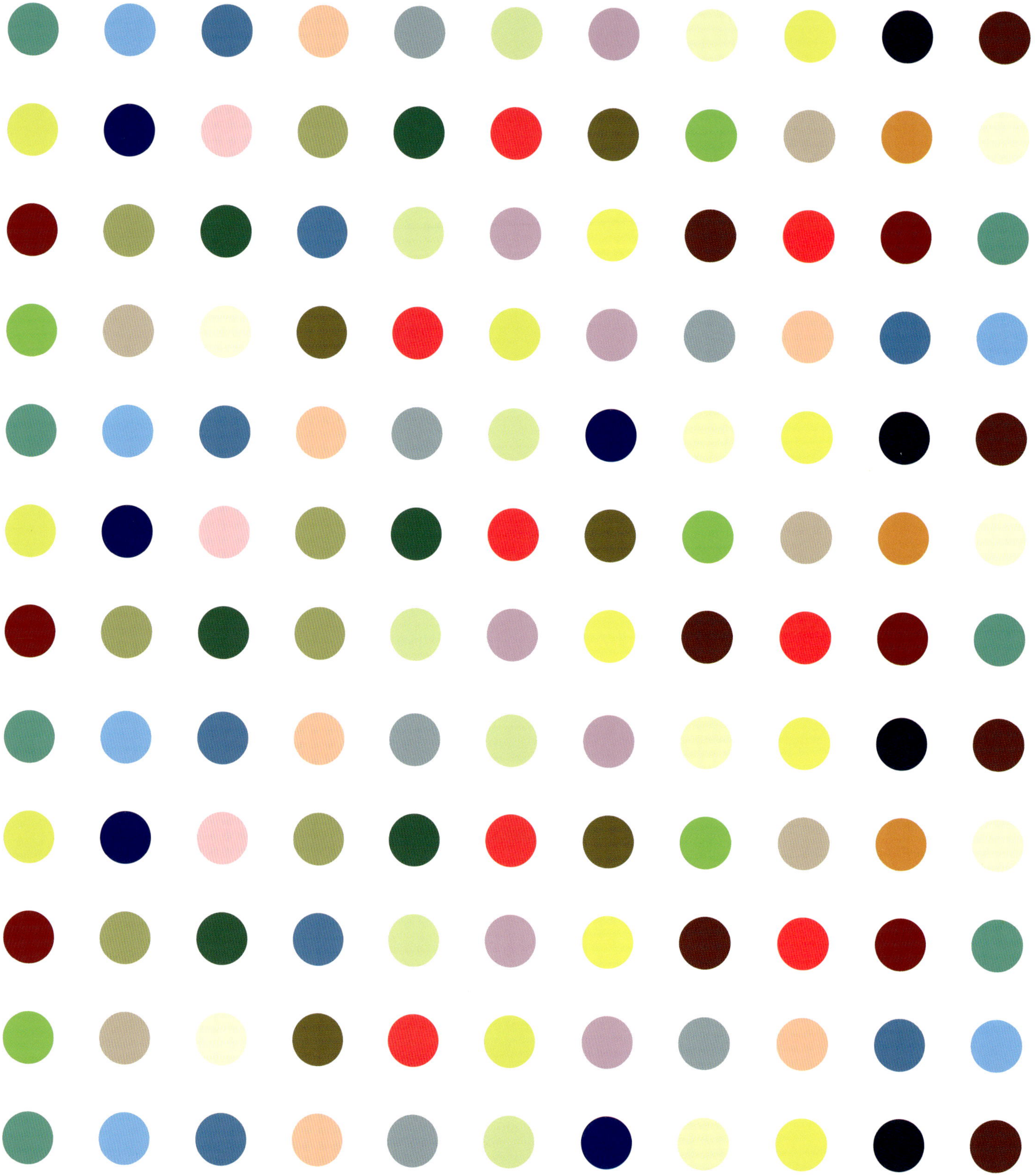

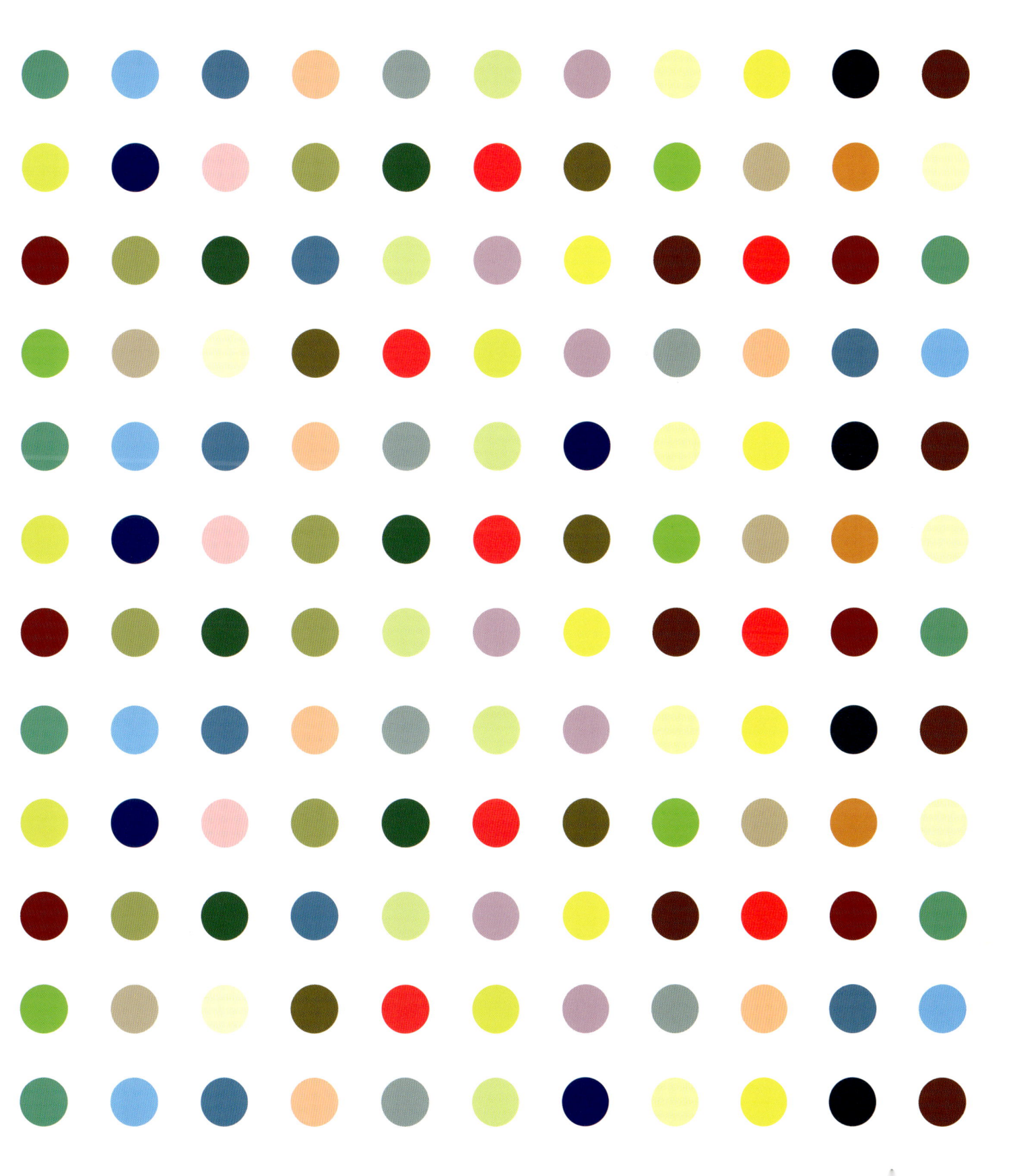

Architektur und Städtebau in Berlin
Architecture and Urban Design in Berlin
2001

Auftraggeber
Goethe-Institut Taschkent

Kooperationspartner
Bundesministerium für Verkehr,
Bau- und Wohnungswesen
Hokimat von Taschkent
Senat von Berlin

Ausstellungsort
Taschkent
1. bis 15. Mai 2001

Anlässlich des zehnjährigen Jubiläums der Städtepartnerschaft zwischen Berlin und Taschkent reiste eine deutsche Delegation mit Vertretern des Bund Deutscher Architekten (BDA), des Berliner Senats, der Technischen Universität Berlin und Pressevertretern auf Einladung des Goethe-Instituts Taschkent in die usbekische Hauptstadt. Dort fand im Rahmen der Ausstellung *Städtebau und Architektur in Berlin und Taschkent* ein zweitägiges Symposium statt, in dem es um Identität und Erinnerung in der Stadtentwicklung, die Sanierung von Plattenbauten und informelle Planungsinstrumente ging. Die Koordination und inhaltliche Betreuung der Delegationsreise und Ausstellung lag in der Verantwortung von Meuser Architekten. Bereits während des Aufenthalts vor Ort wurde eine bilaterale Vereinbarung zwischen den Architekturfakultäten in Berlin und Taschkent unterschrieben, in deren Folge sich ein intensiver Studentenaustausch anschloss.

To celebrate the anniversary of Berlin and Tashkent becoming twin cities ten years previously, the Tashkent Goethe Institute invited representatives from the Bund Deutscher Architekten (BDA), the Berlin Senate and the Berlin Technical University as well as a number of journalists to the Uzbek capital. The exhibition "Architecture and Urban Design in Berlin" provided the framework for a two-day conference addressing such themes as identity and memory in urban planning, the modernization of prefabricated panel buildings, and informal planning instruments. Meuser Architekten was responsible for organizing, managing, and coordinating the journey and exhibition. A bilateral agreement between the architecture faculties of the twinned cities, which was negotiated and signed during the delegation's stay, has led to extensive student exchange.

Berlin-Delegation in Taschkent

Exhibitions

Vom Plan zum Bauwerk
From Masterplan to Architecture
2002–2004

Ausstellungsorte
Berlin
23. bis 26. Juli 2002
Sharjah
25. bis 27. Januar 2003
Moskau
15. Mai bis 15. Juni 2003
Almaty
10. bis 15. Oktober 2003
Astana
5. bis 30. Dezember 2003
Taschkent
5. Oktober bis 10. Dezember 2004

Die im Rahmen des Weltarchitektenkongresses UIA 2002 Berlin konzipierte Ausstellung *Vom Plan zum Bauwerk* wurde im Anschluss in den Vereinigten Arabischen Emiraten, Russland, Kasachstan und Usbekistan gezeigt. In der kasachischen Hauptstadt Astana wurde sie im Rahmen des Besuchs von Bundeskanzler Gerhard Schröder eröffnet; in Taschkent war sie der Auftakt für eine Meisterklasse zur Sanierung von Plattenbauten. Inhaltlich zeigte die Ausstellung die Verknüpfung von Stadtplanung, Städtebau und Architektur – eine Voraussetzung für nachhaltiges Planen und Bauen, die bei den Partnern im Mittleren Osten und der ehemaligen Sowjetunion auf großes Interesse stieß. Die Begleitpublikation (deutsch/englisch) erschien in einer chinesischen Lizenzausgabe. Zu den Ausstellungen erschienen Kataloge in russischer Sprache. Die Präsentation in Moskau war Auftakt der Wanderausstellung durch die russische Region.

Ausstellungseröffnung in Sharjah

Organized within the framework of the World Congress of Architects UIA 2002 Berlin, the exhibition "From Masterplan to Architecture" was subsequently shown in the United Arab Emirates, Russia, Kazakhstan, and Uzbekistan. Gerhard Schröder, then German chancellor, was present at the opening in the Kazakh capital of Astana. In Tashkent the exhibition marked the beginning of a master class on the modernization of prefabricated panel buildings. The exhibition illustrated that urban planning, urban development, and architecture are closely related – a relationship in which partners from the Middle East and the former Soviet Union were especially interested, since it is an important factor in sustainable planning and building. The bilingual German and English catalogue also appeared as a licensed edition in Chinese, and additional catalogues in Russian were produced for the exhibitions in Moscow, Astana, and Tashkent.

Begleitbuch zur Ausstellung

Chinesische Lizenzausgabe

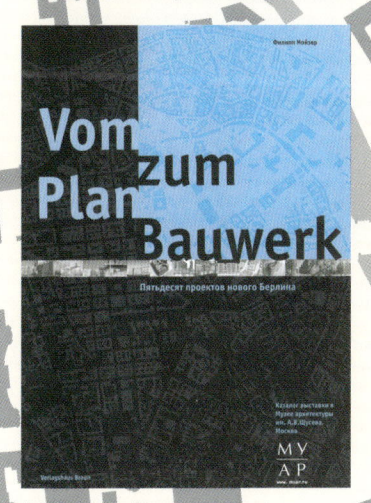

Ausstellungskatalog in Moskau

Ausstellungskatalog in Astana

Ausstellungskatalog in Taschkent

Exhibitions 89

Rückkehr nach Kabul
Return to Kabul
2003

Auftraggeber
Goethe-Institut Kabul

Ausstellungsorte
Kabul
Eröffnung: 22. September 2003
München
4. bis 15. November 2003

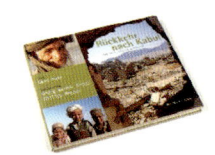

Begleitpublikation
Gerd Ruge (Text), Georg Werner Gross, Philipp Meuser (Fotos)
Rückkehr nach Kabul. Eine fotografische Zeitreise
Verlagshaus Braun, Berlin 2003

Im Herbst 2003 wurde das Goethe-Institut Kabul in den Räumen der ehemaligen Botschaft der DDR wiedereröffnet. Das deutsche Kulturinstitut hatte sich nach der Machtübernahme der Taliban aus der afghanischen Hauptstadt zurückgezogen. Anlässlich der Eröffnung zeigte das Goethe-Institut die Ausstellung *Rückkehr nach Kabul*, die historische Fotografien des Arztes Georg Werner Gross aus den Sechzigerjahren und aktuelle Fotografien von Philipp Meuser aus den Jahren 2002 und 2003 gegenüberstellt. Dabei wurden Aufnahmen von denselben Standorten mit einem Zeitunterschied von etwa 40 Jahren kontrastiert. Oftmals sind kaum Unterschiede zu erkennen, war die städtebauliche Entwicklung seit dem Sturz des Königs nahezu zum Erliegen gekommen. Begleitend erschien ein Buch des ARD-Korrespondenten Gerd Ruge, der die Eindrücke seiner Reisen nach Afghanistan seit den Sechzigerjahren beschreibt und mit Fotos der Ausstellung stimmungsvoll illustriert.

The Goethe Institute had withdrawn from Kabul when the Taliban came to power in Afghanistan, only returning to the city in autumn 2003. The exhibition "Return to Kabul", which marked its reopening, contrasted photographs from the 1960s by Georg Werner Gross and from 2002/2003 by Philipp Meuser. Interestingly, many of the photographs are very similar, since urban development in Kabul had ground to a halt after the end of the monarchy. The exhibition catalogue combines pictures from the exhibition with a text by the well-known German television correspondent Gerd Ruge in which he records his travels in Afghanistan since the 1960s.

Zerstörter Königspalast (oben), Wracks am Flughafen von Kabul (rechts)

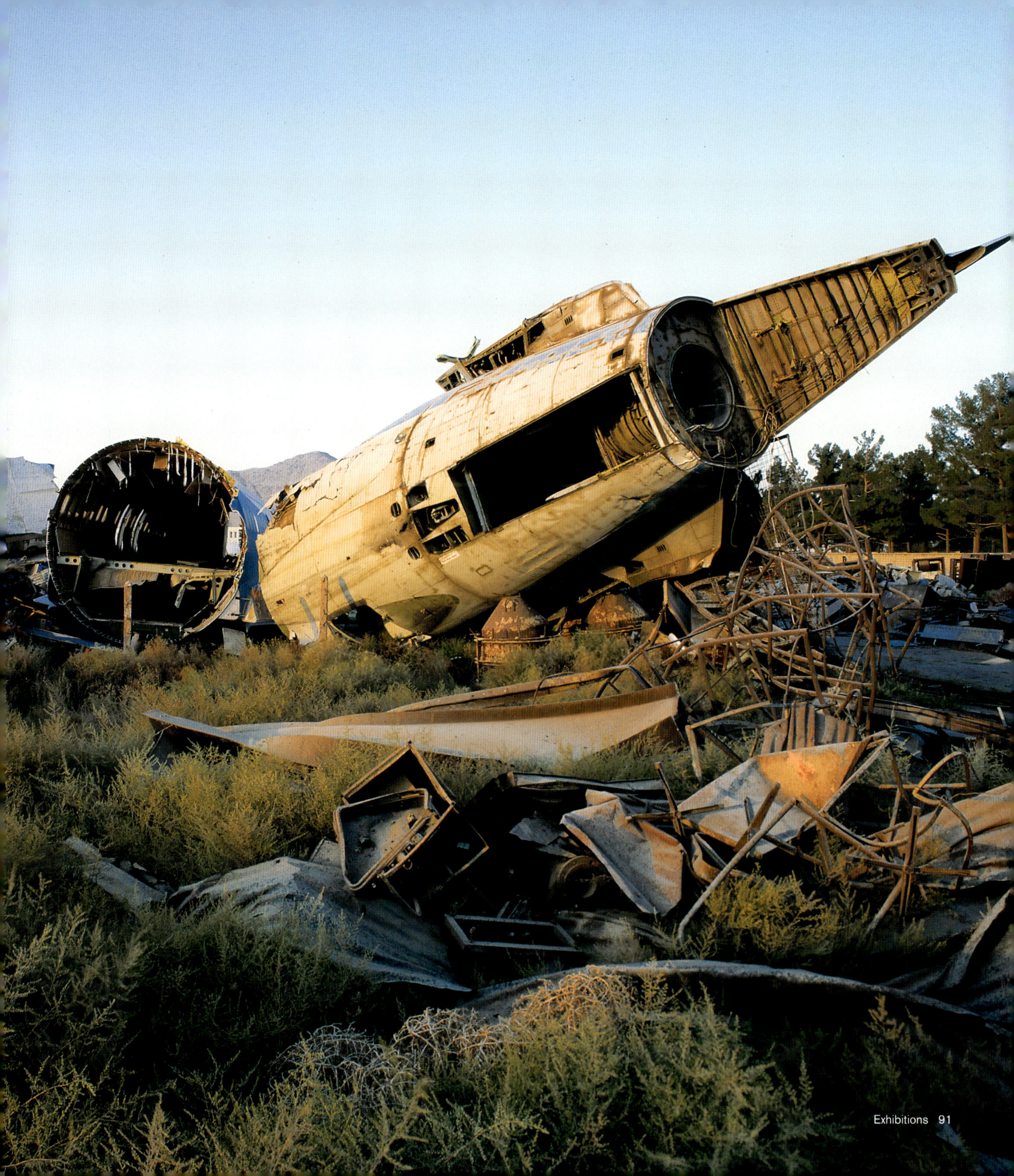

50 Projekte des Neuen Berlin
50 Projects in the New Berlin

2003–2004

Ausstellungsorte
Moskau
15. Mai bis 15. Juni 2003
Nischni Nowgorod
3. bis 11. November 2003
Perm
17. bis 27. November 2003
Jekaterinburg
5. bis 21. Dezember 2003
Nowosibirsk
15. Januar bis 4. Februar 2004
Krasnojarsk
27. Februar bis 17. März 2004
Samara
29. März bis 16. April 2004
Saratow
26. April bis 13. Mai 2004
Sankt Petersburg
18. Mai bis 15. Juni 2004

Die Entwicklung Berlins nach dem Fall der Mauer hat für die Stadt eine Umbruchsituation im doppelten Sinn gebracht: Auf der einen Seite wurde die Teilung der Stadt überwunden – zwei Stadthälften mit sehr unterschiedlichen Biografien begannen wieder zusammenzuwachsen. Auf der anderen Seite verloren die ehemaligen Stadthälften ihre Insel- und Sondersituation. Die Ausstellung *50 Projekte des neuen Berlin*, kuratiert von Philipp Meuser, präsentierte 50 architektonische und städtebauliche Projekte seit 2000. Der Überblick wurde ergänzt durch Darstellungen von noch nicht realisierten Architekturprojekten als großformatige Illustrationen aus der Vogelperspektive und *Zehn Fragen zur Architekturpolitik* als Ausgangspunkt für einen baukulturellen Dialog. Die Wanderausstellung war Teil des kulturellen Programms im Rahmen des Deutsch-Russischen Jahres 2003/2004.

The fall of the Berlin Wall also had fundamental effects on urban development in the city. Berlin was no longer divided and its two parts with their very different histories began to grow together again; the formerly separate parts lost the special status they had had within the two German states. The exhibition "50 Projects in the New Berlin", curated by Philipp Meuser, presented architectural and urban development projects from 2000 and after. This overview was accompanied by bird's-eye views of then unrealized architecture projects. "Ten Questions about Architectural Policy" provided a point of departure for discussions on building culture. The travelling exhibition was part of the programme set up for the Year of German-Russian Cooperation in 2003/04.

Saratow

Krasnojarsk

Moskau

Jekaterinburg

Krasnojarsk

Nowosibirsk

Berlin im Fluss
Floating Berlin
2004–2005

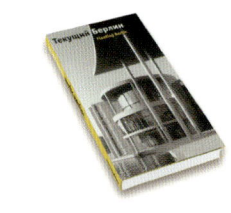

Auftraggeber
Senatsverwaltung für Stadtentwicklung

Ausstellungsorte
Moskau
23. März bis 18. April 2004
Brüssel
8. November bis 17. Dezember 2004
Berlin
11. bis 15. Mai 2005

Katalog
Philipp Meuser (Hg.)
Berlin im Fluss. Ein Architekturführer entlang der Spree
Verlagshaus Braun, Berlin 2004

Berlin ist eine bewegte Stadt, in der ständig Neues entsteht. Auch im zweiten Jahrzehnt nach der Wiedervereinigung ist die östlichste Stadt Westeuropas und westlichste Stadt Osteuropas noch im Werden begriffen. Unter dem Titel *Berlin im Fluss* präsentierte diese Ausstellung 100 Gebäude in Wassernähe. Die Projekte zeigen, wie architektonische Ideen in Flussnähe zu Stadtbausteinen werden – vom Rummelsburger See im Osten bis zum Spandauer See im Westen. Entstanden ist ein einzigartiger Überblick und mit dem parallel erschienenen Katalog zugleich ein wichtiges Zeitdokument über das derzeitige Baugeschehen in der deutschen Hauptstadt. Die Ausstellung wurde im Rahmen der *Berlin-Tage in Moskau* erstmals gezeigt. Danach wanderte sie zum Goethe-Institut nach Brüssel, bevor sie 2005 im Rahmen der Metropolis-Tagung, dem Treffen von Bürgermeistern aus aller Welt in Berlin gezeigt wurde.
(Auszug aus der Pressemitteilung des Berliner Senats)

Situated at the intersection of eastern and western Europe, Berlin is a city in flux where the mantra "in with the new" rules. Two decades after the fall of the Berlin Wall, the once-divided city is still changing rapidly. The exhibition "Berlin im Fluss – Floating Berlin" presented 100 buildings on or near the river, illustrating how architects' ideas become urban landmarks. The result was a unique overview of developments in Berlin architecture which is documented in the exhibition catalogue. The exhibition was shown in Moscow, Brussels, and Berlin.

Ausstellungseröffnung in Moskau

Exhibitions 95

Vom roten Stern zur blauen Kuppel
From the Red Star to the Blue Dome
2004–2005

Auftraggeber
Institut für Auslandsbeziehungen e. V.

Kuratoren
Barbara Barsch
Philipp Meuser

Ausstellungsorte
Berlin
26. März bis 30. Mai 2004
Stuttgart
4. Februar bis 20. März 2005

Die Ausstellung *Vom Roten Stern zur blauen Kuppel – Kunst und Architektur aus Zentralasien* wurde im Rahmen der Reihe *Islamische Welten* der ifa-Galerien in Berlin und Stuttgart gezeigt und war Teil des von der Bundesregierung nach den Terroranschlägen vom 11. September 2001 initiierten *Islamdialogs*. Die für die Ausstellung ausgewählten Künstler setzen sich in ihren Arbeiten intensiv mit ihrer Geschichte, Kultur und der heutigen Zeit auseinander. Die Ausstellung zeigte Innensichten, künstlerische Auseinandersetzungen aus zentralasiatischer Perspektive und Architektur, die von den ökonomischen und politischen Veränderungen, der Re-Islamisierung und dem gesellschaftlichen Wandel der Neunzigerjahre des 20. Jahrhunderts geprägt sind. Sie machte aber auch deutlich, wie sich Traditionen der unterschiedlichen Epochen in der Kultur und Kunst widerspiegeln und wie jede Zeit ihre Spuren im Bewusstsein der Menschen hinterlässt.

"From the Red Star to the Blue Dome – Art and Architecture in Central Asia" was part of the "Worlds of Islam" series of exhibitions hosted by the ifa-Galleries in Berlin and Stuttgart. It was one of many interventions in the "Dialogue with Islam" programme initiated by the German government after 9/11. The artists represented in the exhibition explore both traditional and contemporary culture, examining an inside view of the Central Asian perspective. An overview of architectural projects in the region also bears witness to the enormous changes that have taken place there. The return of Islam and the upheavals in society in the 1990s have inevitably left their mark on art and architecture – as does every historical era.

Erbol Meldibekov: Fotografie *Pastan 3*, 2002

Almagul Menlibaeva: Videostill *Apa/Ahnen*, 2002

Lust auf Raum
Desire for Space
2007

Auftraggeber
Institut für Auslandsbeziehungen e. V.

Kuratoren
Bart Goldhoorn
Philipp Meuser

Ausstellungsorte
Berlin
15. Juni bis 12. August 2007
Stuttgart
21. September bis 4. November 2007

Katalog
Lust auf Raum.
Neue Innenarchitektur in Russland
ifa-Galerie Berlin, 2007

Knapp zwei Jahrzehnte nach der Perestroika hat sich die Architektur in Russland von ihrem anfänglichen Eklektizismus gelöst und einen eigenen Weg gefunden. Die neue »Lust am Raum« drückt sich unter anderem in gestalterisch aufwendigen Planungen im Bereich Interior Design aus. Die Gründe dafür liegen auf der Hand: Neben potenten Bauherren, die auf der Suche nach Originalität keine Kosten bei der Beauftragung etablierter Büros scheuen, macht gerade die junge Generation mit einer ausgefallenen Innenarchitektur in der Öffentlichkeit auf sich aufmerksam. Verbunden sind diese architektonischen Statements mit einer klaren theoretischen Haltung. Vor diesem Hintergrund präsentiert die Ausstellung fünf Baukünstler mit ihren bedeutendsten Arbeiten und via Monitor mit einem in Moskau aufgezeichneten Interview. Die Ausstellungsinstallation simuliert in Form eines raumhohen Fotos das innarchitektonische Erlebnis jeweils eines Projekts. *(Auszug aus der Pressemitteilung)*

Ausstellungsinstallation mit Architekten-Interview via Monitor

Nearly twenty years after the advent of perestroika, Russian architecture has broken with its initial eclecticism and found its own style. This new desire for space manifests itself, for example, in elaborate projects in interior design. With well-heeled clients willing to spend serious money on unusual designs from established practices, and idiosyncratic interiors by a young generation of designers catching the public eye, the conditions are ideal. The exhibition presents the perspectives of five Russian designers, both through their works and via computer monitor in interviews recorded in Moscow. Room-high photographs give viewers an immediate visual experience of the projects.

Boris Bernaskoni: Büro des Präsidenten, 2003

Stadt und Haus
City and House

2007–2010

Auftraggeber
Auswärtiges Amt
Goethe-Institut e. V.

Ausstellungsorte
Minsk
Eröffnung: 16. November 2007
Vilnius
Kaliningrad
Samara
Saratow
Nischni Nowgorod
Sankt Petersburg
Sydney
Canberra
Melbourne

Klassische Typologien, wie das Stadthaus, die Stadtvilla oder das städtische Großstadthotel, gelten als wesentliche Bausteine einer europäischen Stadt. In der Wanderausstellung werden 20 Beispiele aus dem aktuellen Berliner Baugeschehen vorgestellt, denen die Rückbesinnung auf die Berliner Bautradition im Gewand zeitgenössisch moderner Architektur gemein ist. Die Wanderausstellung wurde vom Auswärtigen Amt und vom Goethe-Institut unterstützt. Nach der Eröffnung in Minsk wanderte *Stadt und Haus* durch das Baltikum und Russland bis nach Australien, wo die Ausstellung im Rahmen des *Kultursommers* in Melbourne, Sydney und Canberra präsentiert wurde.

Classic typologies such as the townhouse, detached urban villa, and city-centre hotel are key features of any European city. This travelling exhibition presents 20 examples of current construction projects in Berlin which all incorporate elements of the city's architectural traditions into contemporary modern designs. After opening in Minsk the exhibition, which was supported by the German Foreign Office and the Goethe Institute, travelled through the Baltic region and Russia all the way to Australia, where it was presented in Melbourne, Sydney, and Canberra.

Katalog
Philipp Meuser/Fried Nielsen (Hg.)
Stadt und Haus. Neue Berlinische Architektur im 21. Jahrhundert
DOM publishers, Berlin 2007

Kleihues + Kleihues, *Hotel Concorde*, Berlin, Germany, 2005

Russia Now. Architektur und Design
Russia Now. Architecture and Design
2008

Auftraggeber
Wenzel-Hablik-Museum

Kurator
Philipp Meuser

Ausstellungsort
Itzehoe
6. Juli bis 19. Oktober 2008

Katalog
Philipp Meuser (Hg.)
Russia Now. Modernes Russland. Architektur und Design der Gegenwart
DOM publishers, Berlin 2008

Im Kultursommer 2008 in Schleswig-Holstein lag der Länderschwerpunkt auf Russland – Anlass für das Wenzel-Hablik-Museum, eine Ausstellung zum Thema Architektur und Design zu präsentieren: *Russia Now. Modernes Russland. Architektur und Design der Gegenwart* gewährte dem Betrachter wertvolle Einblicke in eine bisher wenig beachtete Szene und spiegelte die jüngste Geschichte und Gegenwart zwischen Kaliningrad und Wladiwostok wider. Neue Architekturstile und eine hohe Produktvielfalt tragen zum heutigen Selbstverständnis Russlands bei. Bei der Suche nach einer eigenen Identität spielen Retro-Stile eine große Rolle, doch emanzipiert sich inzwischen eine junge Generation mit radikalen Entwürfen. Die Ausstellung stellte diese künstlerische Vielfalt in den Bereichen Architektur, Innenarchitektur, Produkt- und Grafikdesign vor. Allen präsentierten Projekten und Objekten war dabei vor allem eines gemeinsam: Sie können sich auf dem internationalen Parkett sehen lassen.

As part of the Russian focus of the 2008 Schleswig-Holstein summer festival, the Wenzel Hablik Museum presented the country's hitherto little known design scene in the exhibition "Russia Now". New architectural styles and a high product diversity are emerging everywhere between Kaliningrad and Vladivostok, and while the quest for a new Russian identity also involves retro styles, radical new departures illustrate the younger generation's independence. The exhibition showed a broad spectrum of architecture and design, highlighting clearly that Russian designers are a creative force to be reckoned with.

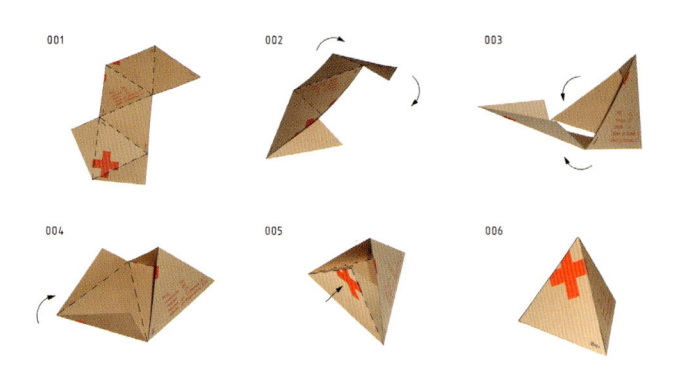

Alexander Kupzow: Behausung für Obdachlose *Origami*, 2005

Yar Rassadin: pantone_matryoshka, 2006

Deutsche Kulturwochen
German Cultural Weeks
2008

Auftraggeber
Auswärtiges Amt

Konzeption
Philipp Meuser

Ausstellungsorte
Riad / Saudi-Arabien
Eröffnung: 3. Mai 2008
Maskat / Oman
Doha / Katar
Abu Dhabi / VAE
Dubai / VAE
Dschidda / Saudi-Arabien

Im ersten Halbjahr 2008 fanden in Saudi-Arabien erstmals *Deutsche Kulturwochen* statt. In diesem Rahmen wurde die Ausstellung über aktuelle Projekte auf der arabischen Halbinsel gezeigt. In einem parallel veranstalteten Symposium stellten namhafte deutsche Architekten, darunter Frei Otto, Richard Boedecker, Bodo Rasch und Gerhard Brand (Albert Speer & Partner), ihre zahlreichen Werke in der Region vor. Mit den *Deutschen Kulturwochen* begleitete das Auswärtige Amt die vorsichtige kulturelle Öffnung Saudi-Arabiens. Vier Monate lang präsentierte sich deutsche Kultur in ihrer ganzen Vielfalt, u. a. auch mit Architektur. Grundlage der deutsch-saudischen Kulturzusammenarbeit ist ein im April 2006 in Kraft getretenes Regierungsabkommen. In diesem verpflichten sich beide Staaten, ihre kulturelle Kooperation weiter auszubauen und die Einrichtung von Kulturinstitutionen des jeweils anderen Landes zu befördern. *(Auszug aus der Pressemitteilung des Auswärtigen Amtes)*

The first-ever German Culture Weeks to be held in Saudi Arabia took place in the first half of 2008. The whole spectrum of German culture was presented, with German architecture featured in an exhibition accompanied by a symposium. Renowned architects such as Frei Otto, Richard Boedecker, Bodo Rasch, and Gerhard Brand (from Albert Speer & Partner) seized the opportunity to introduce their numerous projects in the region. The German Culture Weeks were organized by the German Foreign Office in line with an agreement on cultural collaboration ratified in April 2006.

Ausstellungseröffnung im Tuwaiq-Palast in Riad / Saudi-Arabien

Begleitpublikation
Gesa Schöneberg
Contemporary Architecture in Arabia. Deutsche Projekte auf der Arabischen Halbinsel
DOM publishers, Berlin 2008

Exhibitions

Tempelhof: Geschichte der Zukunft
Tempelhof: History of the Future
2009

Auftraggeber
Senatsverwaltung für Stadtentwicklung

Ausstellungsort
Berlin
Eröffnung: 19. Januar 2009

Mehr als ein Jahrhundert war das Tempelhofer Feld Schauplatz von Fliegergeschichte und Weltpolitik. Parallel war die Freifläche immer auch Gegenstand großmaßstäblicher Planungen und städtebaulicher Visionen. In Tempelhof wurde Zukunft gedacht. Mit der Eröffnung des Flughafens Berlin Brandenburg International im Jahr 2012 wird der gesamte Luftverkehr in der Hauptstadtregion konzentriert. Teil dieser Planung war das Ende des Flugbetriebs im Oktober 2008. Heute steht Berlin erneut vor der historischen Chance, hier eine Position zur »Stadt der Zukunft« zu formulieren. Vor diesem Hintergrund stellt diese Ausstellung die Nutzungsgeschichte den mitunter utopischen Planungen des 20. Jahrhunderts gegenüber. Dabei wird die Flughafenarchitektur selbst Exponat der Ausstellung: Die hinterleuchteten Informationstafeln hängen in den verglasten ehemaligen Büros der Fluggesellschaften und erstrahlen in der Abfertigungshalle.
(Auszug aus der Pressemitteilung des Berliner Senats)

Once the Berlin Brandenburg International airport starts operating in 2012, all airborne transport in and around the German capital will be based at a single site. In line with these plans the last flight from Tempelhof airport – located in the southern part of Berlin and famous for its role in the Berlin Airlift – took off in October 2008. Berlin now has the unique opportunity to develop a new urban vision on this site. The exhibition contrasts the actual history of the airfield with the utopian plans put forward in the twentieth century.

Ausstellungseröffnung in der ehemaligen Abflughalle Tempelhof

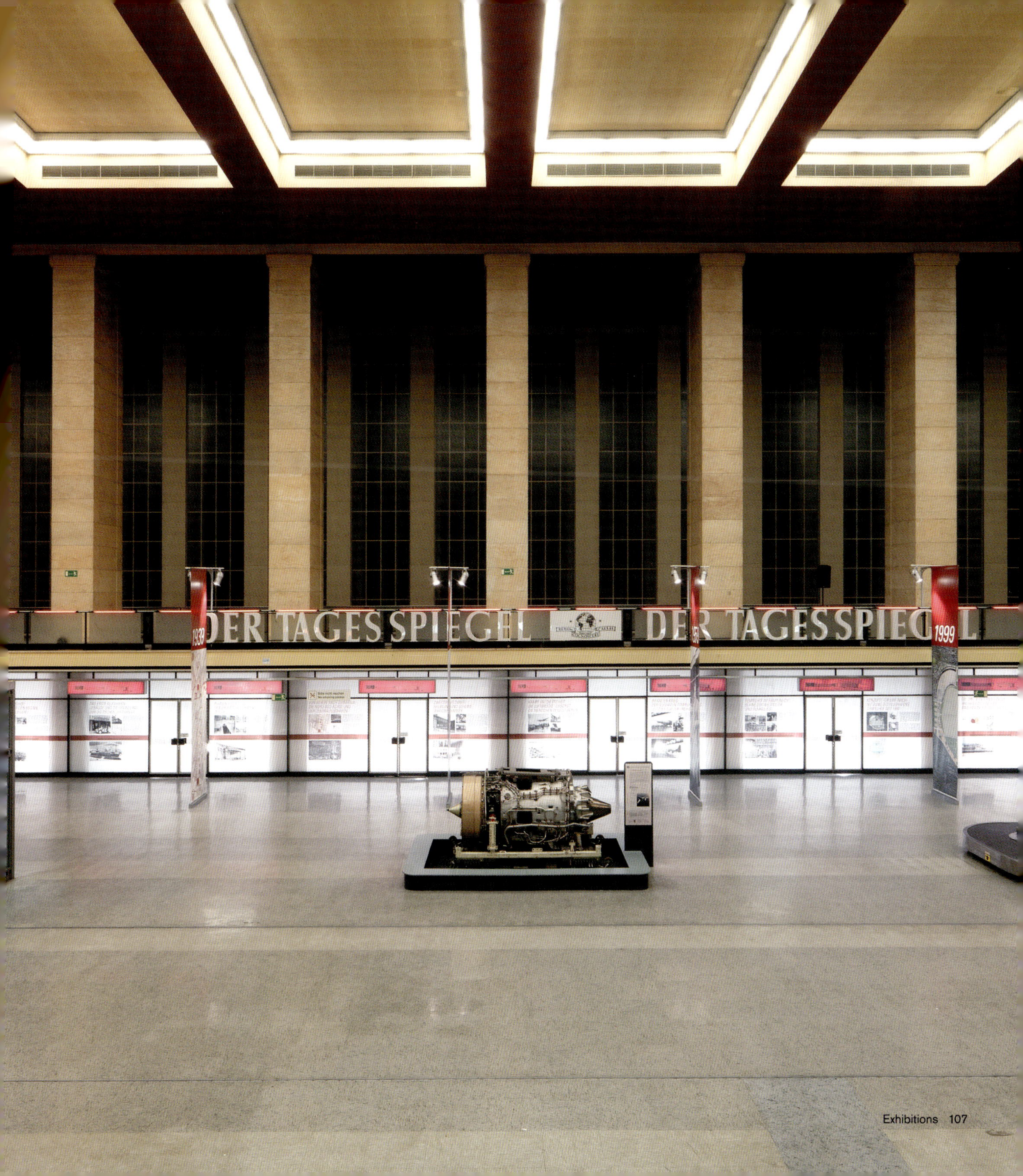
DER TAGESSPIEGEL
1939
DER TAGESSPIEGEL
1999

Zeitgenössische Architektur in Eurasien
Contemporary Architecture in Eurasia
2010

Projektpartner
Auswärtiges Amt
Deutsche Botschaft Astana
Goethe-Institut Almaty

Konzeption
Philipp Meuser

Ausstellungsort
Astana/Kasachstan
4. bis 11. Oktober 2010

Begleitpublikation
Simone Voigt
Contemporary Architecture in Eurasia. Bauten und Projekte in Russland und Kasachstan 2000 bis 2030
DOM publishers, Berlin 2009

Der Zusammenbruch der weltweiten Finanzmärkte im Jahr 2008 hat im Bausektor zu einer intensiven Auseinandersetzung mit den Themen Qualität und Dauerhaftigkeit geführt. Projekte mit kurzfristiger Renditeerwartung sind vom Markt verschwunden. Investoren lernen zu schätzen, dass eine solide Planung im Immobiliensektor langfristig zu höherem Gewinn führt. Vor diesem Hintergrund knüpfen Projektentwickler und Bauherren an die lange Tradition an, Stadtplaner und Architekten aus Deutschland und anderen westlichen Staaten in den Osten einzuladen. Beispielhaft für das gegenwärtige Wirken internationaler Architekten diesseits und jenseits des Urals sind die Wettbewerbe im Rahmen großer Stadtentwicklungsprojekte wie etwa *Moscow City* oder Planungen für die neue kasachische Hauptstadt Astana. Die Ausstellung präsentiert eine Auswahl von mehr als 30 Projekten internationaler Architekturbüros, die erfolgreich den Schritt nach Eurasien gewagt haben.

Ausstellungseröffnung im Hotel *Radisson SAS* in Astana/Kasachstan

The collapse of the world's financial markets in 2008 has sparked intense scrutiny of quality and sustainability issues in the construction sector. Projects likely to have only short-term returns have been shelved as investors realize that careful long-term planning results in higher profits. Against this background, project developers and clients in the former Soviet Union have maintained their centuries-old tradition of working with planners and architects from abroad. This exhibition features over thirty projects by international architectural firms with a successful track record in Eurasia.

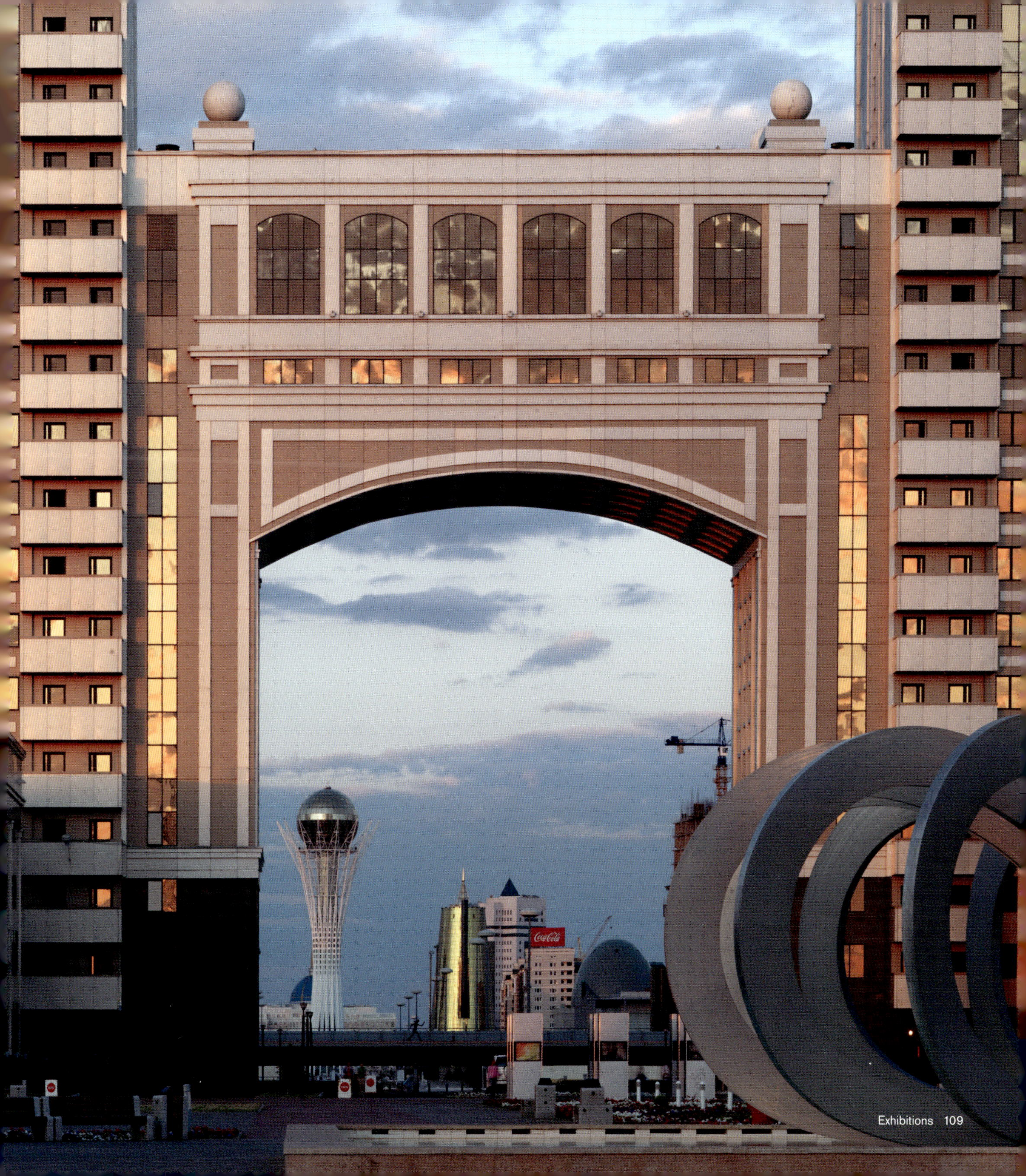
Coca-Cola

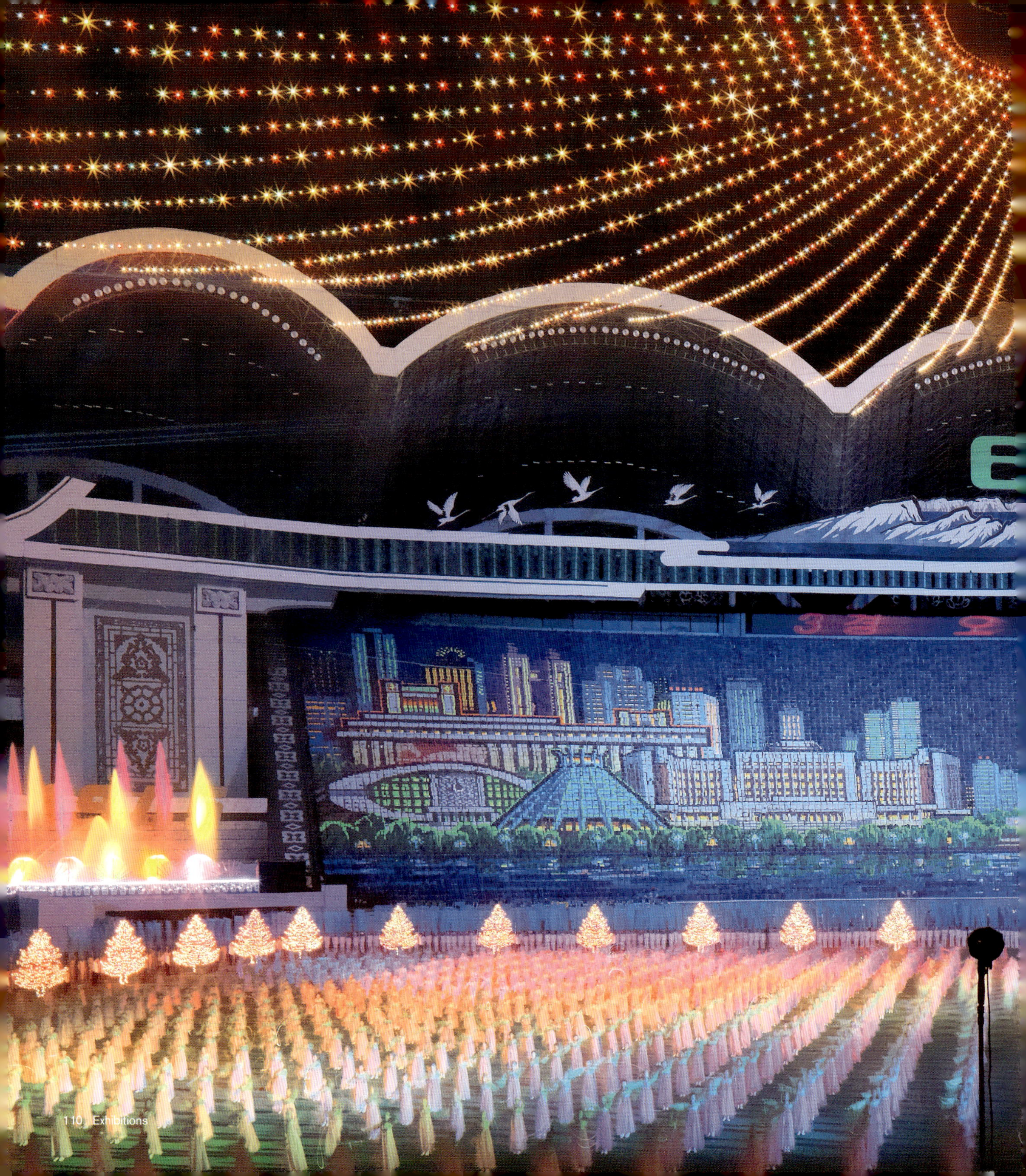

FNJ

PJÖNGJANG ARCHITEKTUR ALS TEIL NORDKOREANISCHER STAATSPROPAGANDA: ARIRANG-MASSENVERANSTALTUNG IM WELTGRÖSSTEN STADION.

PYONGYANG ARCHITECTURE IS AN INTEGRAL PART OF NORTH KOREAN STATE PROPAGANDA: ARIRANG MASS EVENT IN THE WORLD'S LARGEST STADIUM.

Anhang
Annex

Natascha Meuser
Curriculum

Jahrgang 1967, Dipl.-Ing. Architektin BDA (AK Berlin 08182). Geschäftsführerin der Meuser Architekten GmbH.

1987 bis 1991 Studium der Innenarchitektur an der Fachhochschule Rosenheim (Abschluss: Diplom). 1991 bis 1993 Studium der Architektur am Illinois Institute of Technology in Chicago (Abschluss: Master of Architecture). Studienbegleitende Arbeitsaufenthalte und Stipendien in Griechenland (Bühnenbild) und Italien (Malerei). 1993 Auszeichnung durch das Art Institute of Chicago mit dem Harold Schiff Fellowship. 1994 Umzug nach Berlin und bis 1996 Mitarbeit bei Krier/Kohl Architekten sowie Thomas Baumann.

Ab 1995 eigene Architekturprojekte. 1999 bis 2002 Autorin der Tageszeitung *Der Tagesspiegel* mit der eigenen Kolumne *Berliner Zimmer*. 2000 Berufung in den Bund Deutscher Architekten BDA.

2000 bis 2005 wissenschaftliche Mitarbeiterin an der Technischen Universität Berlin im Lehrgebiet Baurecht und Bauverwaltungslehre. Koordination und Durchführung internationaler Studentenworkshops im Rahmen des UIA 2002 in Berlin sowie an der American University of Sharjah (2004).

Seit 2004 internationale Planungs- und Bauprojekte mit Schwerpunkt Osteuropa und Asien. Realisierung von zahlreichen Botschaftsprojekten, u. a. für die deutsche, britische, französische, schweizerische und kanadische Botschaft in Astana/Kasachstan. 2005 bis 2006 Generalplaner für das Theater in der Spielbank Berlin. Planung und Realisierung von exklusiven Appartements und Villen in Deutschland und Russland. Seit 2008 verschiedene Bauvorhaben für den Spielzeughersteller Schleich, u. a. Erweiterung der Hauptverwaltung sowie die weltweite Umsetzung des Corporate Design in *Schleich Shops*.

2008 Beauftragung als Generalplaner für die Deutsche Botschaft Sarajewo/Bosnien und Herzegowina. 2009 Beauftragung als Generalplaner für die Deutsche Botschaft New Delhi/Indien, ein von der Bundesregierung ausgewähltes Pilotprojekt zur Kohlendioxid-Reduzierung bei Bundesbauten.

Regelmäßige Vorträge in Unternehmernetzwerken sowie zahlreiche Publikationen mit Schwerpunkt Innenarchitektur.

Born in 1967, Natascha holds a Dipl.-Ing. degree in architecture and is a member of the German architects' association BDA. She is co-manager of Meuser Architekten GmbH.

From 1987 to 1991 Natascha studied interior design at the Fachhochschule Rosenheim. After taking her degree in 1991 she moved to Chicago to study architecture at the Illinois Institute of Technology, where she took a Master of Architecture in 1993. Alongside her academic studies she held placements and scholarships in Greece (set design) and Italy (painting). In 1993 she won the Art Institute of Chicago's Harold Schiff Fellowship. In 1994 she moved to Berlin where until 1996 she worked with Krier / Kohl Architekten and Thomas Baumann.

Natascha has been managing her own architecture projects since 1995. From 1999 to 2002 she wrote the column *Berliner Zimmer* for *Der Tagesspiegel,* one of Berlin's major daily newspapers. In the year 2000 she was invited to join the German architects' association, Bund Deutscher Architekten BDA.

From 2000 to 2005 Natascha taught classes on Building Law and Building Administration at the Berlin University of Technology. She also organized and coordinated international student workshops at the UIA 2002 in Berlin and at the American University of Sharjah (2004).

Since 2004 her planning and building projects have increasingly been focussed in eastern Europe and Asia, where she was responsible for numerous embassy buildings, including the Swiss, German, British, French, and Canadian embassies in Astana / Kazakhstan. From 2005 to 2006 she held the position of general planner for the Theater in der Spielbank Berlin. Natascha has planned and realized exclusive apartments and villas in Germany and Russia. Since 2008 she has also realized a number of projects for toy manufacturer Schleich, including an annexe to the central administration and the implementation of the Schleich corporate design in Schleich shops around the world.

In 2008 Meuser Architekten won the contract for general planning for the German embassy in Sarajevo / Bosnia and Herzegovina, and in 2009, for the German embassy in New Delhi / India. This project is part of a pilot project for CO_2 reductions in German government buildings.

Philipp Meuser
Curriculum

Jahrgang 1969, Dipl.-Ing. Architekt BDA (AK Berlin 09110). Geschäftsführer der Meuser Architekten GmbH.

1991 bis 1995 Studium der Architektur an der Technischen Universität Berlin und Stipendiat der Konrad-Adenauer-Stiftung (Journalistische Nachwuchsförderung). Praktikum beim *Westdeutschen Rundfunk* in Köln und bei der *Bauwelt*. Von 1995 bis 1996 redaktionelle Tätigkeit im Feuilleton der *Neuen Zürcher Zeitung,* begleitendes Nachdiplomstudium Geschichte und Theorie der Architektur an der Eidgenössischen Technischen Hochschule Zürich (Abschluss 1997).

1996 bis 2001 Politikberater des Senators für Stadtentwicklung im Rahmen des *Stadtforums Berlin*. 2000 Berufung in den Bund Deutscher Architekten BDA. Seit 2001 verschiedene Projekte als Kurator für Goethe-Institute in der ehemaligen Sowjetunion, u. a. Begleitung einer Architekturausstellung im *Deutsch-Russischen Kulturjahr 2003/2004* entlang der transsibirischen Eisenbahn. 2002 bis 2005 Leitung von Meisterklassen in Russland, Kasachstan und Usbekistan. 2004 Lehrauftrag an der *Habitat Unit* der Technischen Universität Berlin.

Seit 2004 internationale Planungs- und Bauprojekte mit Schwerpunkt Osteuropa und Asien. Realisierung von zahlreichen Botschaftsprojekten, u. a. für die deutsche, britische, französische, schweizerische und kanadische Botschaft in Astana/Kasachstan. 2005 bis 2006 Generalplaner für das Theater in der Spielbank Berlin. Planung und Realisierung von exklusiven Appartements und Villen in Deutschland und Russland. Seit 2008 verschiedene Bauvorhaben für den Spielzeughersteller Schleich, u. a. Erweiterung der Hauptverwaltung sowie die weltweite Umsetzung des Corporate Design in *Schleich Shops*.

2008 Beauftragung als Generalplaner für die Deutsche Botschaft Sarajewo/Bosnien und Herzegowina. 2009 Beauftragung als Generalplaner für die Deutsche Botschaft New Delhi/Indien, ein von der Bundesregierung ausgewähltes Pilotprojekt zur Kohlendioxid-Reduzierung bei Bundesbauten. Kuratorentätigkeit für die Stadt Köln im Rahmen der *Regionale 2010*.

Regelmäßige Vorträge im In- und Ausland sowie zahlreiche Publikationen mit den Schwerpunkten *Gesundheitsbauten* und *Architekturgeschichte der Sowjetunion*.

Born in 1969, Philipp holds a Dipl.-Ing. degree in architecture and is a member of the German architects' association BDA. He is co-manager of Meuser Architekten GmbH.

From 1991 to 1995 Philipp studied architecture at the Berlin University of Technology. He won a scholarship for young journalists from the Konrad-Adenauer-Stiftung and held placements with Cologne-based broadcaster *Westdeutscher Rundfunk* and with the architectural journal *Bauwelt*. From 1995 to 1996 he worked in the editorial department of the major Swiss daily, *Neue Zürcher Zeitung,* while following a postgraduate course on History and Theory of Architecture at the Swiss Federal Institute of Technology in Zurich, which he completed in 1997.

From 1996 to 2001 Philipp held a consulting position within the *Stadtforum Berlin* as an advisor to the Senator of Urban Development. In the year 2000 Philipp was invited to join the German architects' association, Bund Deutscher Architekten BDA. Since 2001 he has curated various projects for Goethe Institutes in the former Soviet Union, including an architecture exhibition travelling along the route of the Trans-Siberian Railway in the German-Russian Year of Culture in 2003/04. From 2002 to 2005 he taught master classes in Russia, Kazakhstan, and Uzbekistan, and in 2004 he held a teaching appointment in the *Habitat Unit* of the Berlin University of Technology.

Since 2004 his planning and building projects have increasingly been focussed in eastern Europe and Asia, where he was responsible for numerous embassy buildings, including the German, British, French, Swiss, and Canadian embassies in Astana/Kazakhstan. From 2005 to 2006 he held the position of general planner for the *Theater in der Spielbank Berlin*. Philipp has planned and realized exclusive apartments and villas in Germany and Russia. Since 2008 he has also realized a number of projects for toy manufacturer Schleich, including an annexe to the central administration and the implementation of the Schleich corporate design in Schleich shops around the world.

In 2008 Meuser Architekten won the contract for general planning for the German embassy in Sarajevo/Bosnia and Herzegovina, and in 2009, for the German embassy in New Delhi/India. The project in New Delhi is part of a pilot project for CO_2 reductions in German government buildings.

Veröffentlichungen
Publications

Natascha Meuser (Auswahl)

Salons der Diplomatie. Zu Gast bei Berliner Exzellenzen.
Berlin 2008 (mit Kirsten Baumann)

Ambassadors' Residences.
Berlin 2008 (mit Kirsten Baumann)

Decorating Flowers.
Berlin 2008

Decorating Home.
Berlin 2008

Making of Belle et Fou. Das Theater der Sinne.
Berlin 2006

Monatliche Illustrationen für die Kolumne *Machträume* in der Zeitschrift *CICERO – Magazin für politische Kultur.*
Zeitraum: 2004–2007

Sechsteilige Serie *Berliner Residenzen* für die Tageszeitung *Der Tagesspiegel.* 2003

Berliner Residenzen. Zu Gast bei den Botschaftern der Welt.
Berlin 2002 (mit Kirsten Baumann)

Zehn Highlights der Museumsinsel. In: Carola Wedel (Hg.): *Die neue Museumsinsel. Der Mythos. Der Plan. Die Vision.*
Berlin 2002

Wöchentliche Kolumne *Berliner Zimmer* für die Tageszeitung *Der Tagesspiegel.* (100 Teile)
Zeitraum: 2000–2002

Philipp Meuser (Auswahl)

Zeitgenössische Architektur

Kasachstan – Architektonisches Versuchslabor in der Steppe.
In: *Simone Voigt: Contemporary Architecture in Eurasia. Bauten und Projekte in Russland und Kasachstan.* Berlin 2009

Russia Now. Modernes Russland. Architektur und Design der Gegenwart. Berlin 2008 (mit Bart Goldhoorn)

Lust auf Raum. Neue Innenarchitektur in Russland. Berlin 2007 (mit Bart Goldhoorn)

Stadt und Haus. Berlinische Architektur im 21. Jahrhundert. Berlin 2007 (mit Fried Nielsen)

Schlossplatz Eins. European School of Management and Technology. Berlin 2006[1]/2009[2]

Capitalist Realism. Neue Architektur in Russland. Berlin 2006 (mit Bart Goldhoorn)

Neue Krankenhausbauten in Deutschland. Berlin 2006 (mit Christoph Schirmer)

Raumzeichen. Architektur und Kommunikations-Design. Berlin 2005 (mit Daniela Pogade)

Pläne Projekte Bauten. Architektur und Städtebau in Leipzig 2000 bis 2015. Berlin 2005 (mit Engelbert Lütke-Daldrup und Daniela Pogade)

Berlin im Fluss. Ein Architekturführer entlang der Spree. Floating Berlin. New Architecture along the Waterfront. Berlin 2004

Projekte, Pläne, Bauten. Architektur und Städtebau in Köln 2000–2010. Berlin 2003 (mit Klaus Otto Fruhner und Andrea Platena)

Vom Plan zum Bauwerk. Bauten und Projekte in der Berliner Innenstadt seit 2000. Berlin 2002 (mit Hans Stimmann)

Neue Gartenkunst in Berlin. New Garden Design in Berlin. Berlin 2001 (mit Hans Stimmann und Erik-Jan Ouwerkerk)

Architekturgeschichte

Zwischen Stalin und Glasnost. Sowjetische Architektur 1960–1990. Berlin 2009 (mit Jörn Börner und Caroline Uhlig)

Experiments with Convention. European Urban Planning from Camillo Sitte to New Urbanism. In: Krier, Rob: *Town Spaces. Contemporary Interpretations in Traditional Urbanism.* Basel/Berlin/Boston 2003

Berlin. Der Architekturführer. Berlin 2001[1] (mit Markus S. Braun, Rainer Haubrich und Hans Wolfgang Hoffmann)

Vom Fliegerfeld zum Wiesenmeer. Flughafen Berlin-Tempelhof. Berlin 2000

Geschichte der Architektur des 20. Jahrhunderts. Köln 1998 (mit Hans Wolfgang Hoffmann und Jürgen Tietz)

Handbuch und Planungshilfe

Handbuch und Planungshilfe: Arztpraxen. Berlin 2010

Handbuch und Planungshilfe: Signaletik und Piktogramme. Berlin 2010 (mit Daniela Pogade)

Handbuch und Planungshilfe: Apotheken. Berlin 2009 (mit Dörte Becker †)

Handbuch und Planungshilfe: Barrierefreie Architektur. Berlin 2009 (mit Joachim Fischer)

Sonstige Themen

Sehnsucht nach Europa. Urbane Skizzen aus Afrika, Amerika und Asien. Berlin 2003

Rückkehr nach Kabul. Eine fotografische Zeitreise. Berlin 2003. (mit Gerd Ruge und Georg W. Gross)

Unsichtbarer Städtebau. Die Modernisierung der Berliner Stadttechnik. In: Berliner Festspiele/AK Berlin (Hg.): *Berlin: Offene Stadt. Die Erneueuerung seit 1989.* Berlin 1999

Zeitschriften und Tageszeitungen (Auswahl)

Der Tagesspiegel

Der Senkrechtstarter. Dominique Perrault, Architekt.
20. November 1993

Bauen nach Bildern. Christopher Alexander vertritt neue Entwurfsmethoden der Architektur. 16. Juli 1994

Statt Urlaub Stadturlaub. Spaßbäder überflügeln Stadtbäder.
14. August 1994

Das Eisenbahnkreuz und die Europolis. Die nordfranzösische Stadt Lille wird Verkehrsknotenpunkt der europäischen Hochgeschwindigkeitszüge. 21. September 1994

Marzahner Mischung. Die größte deutsche Plattenbausiedlung wird bislang nur kosmetisch behandelt. 29. Dezember 1994

Auf dem Weg zu neuen Ufern. Fünf Jahre nach der Unabhängigkeit sucht Lettland ein Profil für seine Hauptstadt Riga.
8. Februar 1995

Die bestellte Hauptstadt. Kasachstan ist ein junger Staat. Und der Präsident hat sich dafür ein neues Zentrum gewünscht.
13. Januar 2002

Nächster Halt: Kabul. Termez war eine verbotene Stadt an der Grenze zu Afghanistan. Kein Fremder durfte sie betreten.
24. Februar 2002

Zwischen Koran und Coca-Cola. Städtebauer und Architekten diskutieren über den Wiederaufbau von Kabul.
27. Dezember 2002

Frankfurter Rundschau

Verfall einer Idee. Das architektonische DDR-Erbe in Eisenhüttenstadt. 6. August 1994.

Ein ganzer Stadtteil für die Medien. Der Mediapark nahe des Kölner Hauptbahnhofs liegt im Trend neuer Gewerbesiedlungen.
25. August 1994

Marzahner Mischung. Die städtebaulichen Probleme in Deutschlands größter Retortensiedlung. 26. November 1994

Gestern Kohlerevier – morgen Europolis. Die Stadt der Zukunft: Lille als europäische Verkehrsmetropole. 3. Januar 1995

Abschied von Scharoun. Zur Entscheidung im Wettbewerb für das Berliner Kulturforum. 3. März 1998

Bilderflut und Farbenpracht. Eine postsozialistische Musterstadt: das Kirchsteigfeld in Potsdam. 6. März 1998

Das Ende der Utopie. Berliner Stadtbaukunst zwischen Erneuerung und Umbau. 9./10. April 1998

Unvollendete Utopien. Wie zukunftsfähig sind die Wohnmaschinen der Moderne? Ein deutsches Tabu. 5. August 1998

Der Müll der Stadt. Plädoyer für eine Ästhetik des öffentlichen Raums. 8. Dezember 1998

Vom Anwalt zum Manager. Berliner Beispiele für ein neues Selbstverständnis der Denkmalpflege. 29. Oktober 1999

Glaubensfragen. Lob der Platte: Das industrielle Bauen in Taschkent bietet Überraschungen. 24. April 2001

Neue Zürcher Zeitung

Funktionsmischung an der Peripherie. Integration der Plattenbausiedlungen in Berlins Osten. 4. Februar 1995

Der steinerne Koloss auf dem Eiland. Hans Kollhoffs Wohnungsüberbauung im Amsterdamer Hafen. 3. März 1995

Die Ästhetisierung des Unfertigen. Berliner Architektur zwischen Werden und Vergehen. 23. Mai 1995

Simulierte Architektur. Zum Werk des Japaners Toyo Ito.
7./8. Oktober 1995

Understatement und Visionen. Der niederländische Architekt Ben van Berkel. 2. Februar 1996

Stadt als Ressource. Zur Architektur von Matthias Sauerbruch und Louisa Hutton. 25. November 1996

Generatoren für theoretische Ideen. Ein Gespräch mit den New Yorker Architekten Williams & Tsien. 12. Januar 1998

Schauplatz Warschau. Distanz zur Stadt. Urbanistische Entwicklung im Schatten des Kulturpalastes. 17. März 1998

Mentale Mobilität. Alternativen zur autogerechten Planung der Moderne. 12. April 1999

Eine orientalische Burg. Das Parlamentsgebäude von Louis I. Kahn in Dhaka. 17./18. Februar 2001

Schauplatz Kasachstan: Öko-Stadt zwischen Steppe und Sumpf. Kisho Kurokawas Masterplan für die Hauptstadt Astana. 21. Dezember 2001

Der Wiederaufbau von Kabul. Ein neuer Masterplan für die afghanische Hauptstadt. 31. Januar 2003

Stars und Lokalmatadoren. Wettbewerb zur Erweiterung des Mariinsky-Theaters. 17. März 2003

Wo Lenin noch nach Moskau blickt. Neue Architektur in Kirgistans Hauptstadt Bischkek. 2. Mai 2003

Berliner Zeitung

Al-Capone-Time zwischen Tallinn und Sofia. Metropolen in Osteuropa entdecken ihre Zentren wieder. 28. April 1998

Revolution im Knast. Ein spektakulärer Gefängnis-Neubau in Gelsenkirchen. 3. Juni 1998

District Six lebt nicht mehr. Wie ein zerstörtes Quartier in Kapstadt zum Gradmesser einer neuen Politik wird. 27./28. Juni 1998

Untergang einer Utopie. Soziale Stadtentwicklung in den USA: Chicago reißt seine Armutsviertel ab. 15./16. Mai 1999

Von Greenpeace lernen. Wenn Konservatoren zu Managern werden, kann auch Denkmalschutz ein Geschäft sein. 11./12. September 1999

Manifeste für eine kleine Ewigkeit. Die eigensinnige Architektur des Schweizer Kantons Graubünden. 1./2. April 2000

Wo die Menschheit fliegen lernte. Verlassene innerstädtische Flughäfen, die neue Nutzungen brauchen. 6./7. Mai 2000

Archithese

Blechkisten im Versteck. Wettbewerb Regionaltheater Neuenburg. Heft 1/1996

Kunstform als Konstruktionsform. Steinerne Fassaden und schwerelose Kisten in der Mitte Berlins. Heft 5/1996

Wiener Vertikale. Architektonische Wolkenstürmerei an den Ufern der Donau. Heft 6/1999

Körper und Kleid. Von der Vorhangfassade zum Siedlungsteppich: Textile Architektur als semantisches und baukünstlerisches Phänomen. Heft 2/2000

Hybrid sucht Anschluss. Der Potsdamer Platz in Berlin: ein autarker, aber erfolgreicher Stadtbaustein. Heft 3/2000

Deutsches Architektenblatt

Mobile Immobilien. Was die Architektur mit dem Begriff der Bewegung verbindet. Heft 6/2000

Die Festung von Dhaka. Zum 100. Geburtstag von Louis I. Kahn (1901–1974). Heft 2/2001

Architekt ohne Grenzen. Deutsche Architekten im Ausland. Teil 8: Russland, Kasachstan und Usbekistan. Heft 6/2002

Jenseits von Kommunismus und Kapitalismus. Russische Architektur orientiert sich an historischen Vorbildern. Heft 8/2006

Architekt ohne Grenzen. Deutsche Architekten im Ausland. Teil 33: Russland. Heft 8/2006

Komfort für alle. Barrierefreies Bauen ist kein Randgruppenthema, sondern dient der ganzen Gesellschaft. Heft 9/2009

Projektverzeichnis
Chronology

1995
Fotografenwohnung in Berlin-Charlottenburg
(Umbau)

Mercedes Showroom in Berlin-Mitte
(Umbau, nicht realisiert)

1996
Stadtforum Berlin
(Koordination von ca. 25 Sitzungen bis 2001)

1997
Veranstaltungsreihe *StadtProjekte*
(Koordination von ca. 20 Veranstaltungen bis 1999)

Architektenwohnung in Berlin-Charlottenburg
(Umbau)

Fotostudio in den Hackeschen Höfen in Berlin-Mitte
(Umbau)

Haus des Deutschen Beamtenbundes in Berlin-Mitte
(Wettbewerb, 2. Preis)

1998
Schauspielerwohnung in Berlin-Charlottenburg
(Umbau)

Diplomaten-Villa in Berlin-Pankow
(Umbau)

Reihenhaus in Berlin-Westend
(Anbau)

Ausstellung im *Quartier Schützenstraße* in Berlin-Mitte
(Temporäre Installation)

Commerz- und Privat-Bank (Sparkassenhaus) in Berlin-Mitte
(Bauhistorische Dokumentation)

Haus des Deutschen Beamtenbundes in Berlin-Mitte
(Bauhistorische Dokumentation)

1999
ZDF Merchandising Shop in Berlin-Mitte
(Umbau)

Veranstaltungsreihe *Architekturgespräche*
(Koordination von ca. 20 Veranstaltungen bis 2001)

2000
Juweliergeschäft *Schmuckräume* in Berlin-Charlottenburg
(Bauleitung)

Stadthäuser am Fischerkiez in Berlin-Mitte
(Studie)

2001
Landhaus in Berlin-Friedrichshagen
(Umbau)

Penthouse in Berlin-Prenzlauer Berg
(Umbau)

Ausstellung in der Messehalle in Taschkent/Usbekistan
(Temporäre Installation)

Ausstellung in der *Otto-Nagel-Galerie* in Berlin-Wedding
(Temporäre Installation)

2002
Meisterklasse *Sanierung von Plattenbauten* in St. Petersburg
(Koordination)

Summer School im Rahmen des *UIA 2002 Berlin*
(Koordination)

Informations-, Leit- und Orientierungssystem für die staatlichen Schlösser, Burgen und Altertümer im Land Rheinland-Pfalz
(Wettbewerb, 1. Preis)

2003
Villa am Finnischen Meerbusen bei St. Petersburg/Russland
(Wettbewerb 1. Preis, nicht realisiert)

Penthouse an der Eremitage in St. Petersburg/Russland
(Neubau)

Ausstellung in der *ifa-Galerie* in Berlin und Stuttgart
(Temporäre Installation)

Ausstellung im *Zentralen Haus der Künstler* in Moskau/Russland
(Temporäre Installation)

Ausstellung in der American University in Sharjah/VAE
(Temporäre Installation)

Meisterklasse *Zukunft der Stadt Atyrau/Kasachstan*
(Koordination)

2004
Deutsche Botschaft in Astana/Kasachstan
(Herrichtung einer Büroetage)

Stadthaus am Friedrichswerder
(Neubau)

Touristisches Leitsystem für die Altstadt Naumburg/Saale
(Stadtmöblierung)

Maisonette in Dongguan/China
(Neubau, nicht realisiert)

Mini-Hotel in Berlin-Charlottenburg
(Umbau)

Wohnung *Sybelstraße* in Berlin-Carlottenburg
(Umbau)

Ausstellung im Architekturmuseum in Moskau/Russland
(Temporäre Installation)

Spring School an der American University in Sharjah/VAE
(Koordination)

Meisterklasse *Sanierung von Plattenbauten* in Taschkent/Usbekistan (Koordination)

2005

Schloss Stolzenfels bei Koblenz
(Denkmalgerechter Umbau zur Verbesserung der Barrierefreiheit)

Theater in der Spielbank Berlin
(Umbau)

Britische Botschaft in Astana/Kasachstan
(Herrichtung einer Büroetage)

Hachette Filipacchi Shkulev Media in Moskau/Russland
(Umbau der Lobby und der Vorstandsetage)

Konferenzzentrum in der Französischen Botschaft in Moskau
(Umbau, nicht realisiert)

Meisterklasse *Wohnen am Wasser* in Nischni Nowgorod
(Koordination)

2006

Deutsches Generalkonsulat in Kaliningrad/Russland
(Neubau der Visastelle)

Französische Botschaft in Astana/Kasachstan
(Herrichtung einer Büroetage)

Lufthansa Airport Office in Astana/Kasachstan
(Umbau)

Villa Zhailjau in Almaty/Kasachstan
(Neubau/Innenarchitektur)

Vorderes Klausengebäude in Koblenz
(Denkmalgerechter Umbau)

Produzentenwohnung in Berlin-Charlottenburg
(Umbau)

2007

Stadtvilla in Nürnberg-Erlenstegen
(Erweiterung)

Deutsches Generalkonsulat in Almaty/Kasachstan
(Herrichtung eines Bestandsgebäudes)

Hauptverwaltung Schleich in Schwäbisch Gmünd
(Erweiterung)

Schleich Shop Design
(Umsetzung des Corporate Branding an bislang 75 Standorten)

Lufthansa City Center in Kasachstan
(Umsetzung des Corporate Branding an sieben Standorten)

Lufthansa City Center in Kirgistan
(Umsetzung des Corporate Branding am Standort Bischkek)

ABN AMRO Bank Kazakhstan, Consumer Banking
(Umsetzung des Corporate Branding an vier Standorten)

Vorstandsetage im *Almaty Financial District* in Kasachstan
(Neubau/Innenarchitektur, nicht realisiert)

Außenstelle der Französischen Botschaft in Almaty/Kasachstan
(Denkmalgerechter Umbau)

Wohnung auf den Sperlingshügeln in Moskau/Russland
(Neubau/Innenarchitektur)

Feriensiedlung im Altai-Gebirge/Kasachstan
(Neubau, nicht realisiert)

Penthouse *Jägerstraße* in Berlin-Mitte
(Neubau, nicht realisiert)

Vertretung der Europäischen Kommission in Astana/Kasachstan
(Konzept zur Verbesserung der materiellen Sicherheit)

Ausstellung in der *ifa-Galerie* in Berlin und Stuttgart
(Temporäre Installation)

2008

Deutsche Botschaft Sarajewo/Bosnien-Herzegowina
(Generalsanierung)

Deutsche Botschaft in New Delhi/Indien
(Fassadengestaltung)

Kanadische Botschaft in Astana/Kasachstan
(Project Management)

Schweizerische Botschaft in Astana/Kasachstan
(Herrichtung einer Büroetage)

ABN AMRO Bank Kazakhstan, Preferred Banking Almaty
(Umbau)

Typenentwurf für eine Schule in Tscheboksary/Russland
(Neubau, nicht realisiert)

Typenentwurf für einen Kindergarten in Tscheboksary/Russland
(Neubau, nicht realisiert)

Villa an der Rubljowka in Moskau/Russland
(Umbau)

Maschinenhalle in Iggingen
(Neubau)

Park Residence Monbijou in Berlin-Mitte
(Konzeptstudie)

Landhaus in Neufundland/Kanada
(Neubau, nicht realisiert)

L'Institut Français d'Etudes sur l'Asie Centrale in Taschkent
(Neubau, nicht realisiert)

Ausstellung im Tuwaiq Palace in Riad/Saudi-Arabien
(Temporäre Installation)

Ausstellung in der Abflughalle des Flughafens Tempelhof
(Temporäre Installation)

2009
Deutsche Botschaft in New Delhi/Indien
(Generalsanierung)

Deutsche Botschaft Taschkent/Usbekistan
(Machbarkeitsstudie für einen Neubau)

Deutsche Botschaft Peking/China
(Umbau zur Verbesserung der Barrierefreiheit)

Deutsche Botschaft Tokio/Japan
(Umbau zur Verbesserung der materiellen Sicherheit)

Deutsches Generalkonsulat in Jekaterinburg/Russland
(Wettbewerb)

Ägyptische Residenz in Berlin-Mitte
(Gutachten)

Schweizerische Residenz in Astana/Kasachstan
(Quality Management)

Goethe-Institut in Almaty/Kasachstan
(Machbarkeitsstudie)

St. Petri-Kirche in Berlin-Mitte
(Neubau, nicht realisiert)

Evangelisches Johannesstift in Berlin-Spandau
(Neubau, Wettbewerb 2. Preis)

Ida-Simon-Haus in Berlin-Mitte
(Denkmalgerechtes Umbaukonzept)

Hotelresidenz und Spa in Kühlungsborn
(Neubau/Innenarchitektur)

Villa in Berlin-Grunewald
(Neubau/Innenarchitektur)

Ausstellung im Rahmen der Regionale 2010 in Köln
(Temporäre Installation)

2010
Theaterplatz Naumburg/Saale
(Freiraumgestaltung)

Quartier an den Kronprinzengärten in Berlin
(Neubau, Wettbewerb)

Schweizerische Botschaft in Warschau/Polen
(Bestandsanalyse)

Informations- und Orientierungssystem für die Staatlichen
Schlösser, Burgen und Gärten Sachsen
(Wettbewerb)

Die Zeitangaben beziehen sich auf den Projektbeginn.

Mitarbeiter seit 1995
Staff since 1995

Architekten
Bächter, Michael
Bagrikova, Inna
Bormann, Nicola
Boyko, Elena
Festag, Daniel
Heßler, Doreen
Jahn, Wera
Kurek, Monika
Meuser, Florian
Schillaci, Fabio
Schirmer, Christoph
Spielau, Martin
Tobolla, Jennifer
Tsubokura, Takashi
Weber, Miriam
Zhang, Choco Heng

Projektassistenz
Chernishova, Sofia
Jaikbayeva, Juma
Kim, Galina
Nurgaleyeva, Gulnara
Uralov, Bolatbek

Grafikdesigner
Brohl, Gitte
Dafova, Marina
Donadei, Daniela
Mattausch, Heiko
Stier, Yuko
Wolbergs, Benjamin
Wolf, Nicole

Verlag
Hofmann, Sabine
Kasek, Mandy
Keil, Uta
Petermann, Ralph
Ring, Martin
Scheublein, Walter

Redakteure
Becker, Dörte †
Dörries, Cornelia
Hahn-Melcher, Brigitta
Hartmann, Anja
Hoffmann, Hans Wolfgang
Maempel, Vivian
Oswald, Ansgar
Pogade, Daniela
Schöneberg, Gesa
Voigt, Simone

Volontariat
Deubel, Jette
Kukla, Juliane

Praktikanten
Chestakow, Lev
Egermann, Kristin
Esau, Xenia
Göse, Julia
Götzen, Christiane
Jeska, Simone
Klaus, Robert
Kim, Anja
Krusemark, Anne
Mitra, Mayukh
Mogensen, Sophia
Urscheler, Kathrin
Wegener, Gerrit

Anhang 127

Die Deutsche Bibliothek verzeichnet diesen Titel in der *Deutschen Nationalbibliografie*. Detaillierte bibliografische Daten sind im Internet über *http://dnd.ddb.de* abrufbar.

The Deutsche Bibliothek *lists this publication in the* Deutsche Nationalbibliografie; *detailed bibliographic data is available on the internet* http://dnb.ddb.de.

© 2011 by *DOM publishers*
www.dom-publishers.com

ISBN 978-3-86922-154-0 (Vol. 4)
ISBN 978-3-86922-150-2 (Gesamtausgabe)

A DOM publishers

Dieses Werk ist urheberrechtlich geschützt. Jede Verwertung außerhalb der Grenzen des Urheberrechtsgesetzes ist ohne Zustimmung des Verlags unzulässig und strafbar. Dies gilt insbesondere für Vervielfältigung, Übersetzungen, Mikroverfilmungen sowie die Einspeicherung und Verarbeitung in elektronischen Systemen. Die Nennung der Quellen und Urheber erfolgt nach bestem Wissen und Gewissen.

This work is subject to copyright. All rights are reserved, whether the whole or part of the material is concerned, specifically the rights of translation, reprinting, broadcasting, reproduction on microfilms or in other ways, and storage or processing in data bases. We have identified any third party copyright material to our best knowledge.

Projekttexte *Text Editor*
Cornelia Dörries

Endlektorat *Proofreading*
Uta Keil

Übersetzung *Translation*
Nina Hausmann

Titelgestaltung *Cover Design*
Gitte Brohl

Abbildungen *Photo Credits*
Awad, Jasmin: 36; Bildarchiv Preußischer Kulturbesitz/bpk: 28 l (F. Albert Schwartz), 28 r, 29; Deutsche Botschaft Riad: 104; Domes, Christian: 17 r; Fischer, Marc: 30 r; Hafemann, Alexander: 26 r; Hoch, Eberhard: 115; iStockphoto/Black Beck: 11; Loiseleux, Valerie: 30 l; Meuser, Florian: 37; Meuser, Natascha: 98, 106, 117; Meuser, Philipp: 22/23, 25, 27 r, 31, 39-41, 48, 49, 51-53, 54 ol, 54 ur, 55 ol, 55 ul, 57-60, 62/63, 77, 81, 86-88, 90-93, 95, 102, 105, 107-111; Müller, Stefan: 101; MUAR: 94; Naroditski, Alexei: 99; Nikada, Alex: 21; Panosian, S. Greg: 26 l; Savorelli, Pietro: 32; Schmidt, Hans-Peter: 54 or, 54 ul, 55 or, 55 ur, 56; Schubert, Jörg B.: 74/75; Skorupa, Ireneusz: 19; Tobolla, Jennifer: 20; Traite Soler, Ferran: 76; Urbanczyk, Dariusz: 27 l; Valdez, Michael: 34; Weber, Andreas: 16; Weber, Miriam: 46, 47; White Rosier, Diane: 18; Zurek, Peter: 17 l